КАРИНА ДОБРОТВОРСКАЯ

КАРИНА ДОБРОТВОРСКАЯ

КТО-НИБУДЬ ВИДЕЛ МОЮ ДЕВОЧКУ

100 ПИСЕМ К СЕРЁЖЕ

ИЗДАТЕЛЬСТВО
АСТ
МОСКВА

КАРИНА ДОБРОТВОРСКАЯ

КТО-НИБУДЬ ВИДЕЛ МОЮ ДЕВЧОНКУ?

100 ПИСЕМ К СЕРЕЖЕ

РЕДАКЦИЯ
ЕЛЕНЫ ШУБИНОЙ

Издательство
АСТ
Москва

УДК 821.161.1-94
ББК 84(2Рос=Рус)6-44
Д56

Макет Андрея Бондаренко

Дизайн Влада Воронина

В оформлении переплета использован постер Анны Ксенз.
На передней сторонке изображены Аня Чиповская, Александр Горчилин.

Добротворская, Карина Анатольевна.

Д56 Кто-нибудь видел мою девчонку? 100 писем к Сереже / КАРИНА ДОБРОТВОРСКАЯ. — Москва : Издательство АСТ : Редакция Елены Шубиной, 2021. — 349, [3] с. — (Кинобестселлеры).

ISBN 978-5-17-133929-6

Они считались самой красивой парой богемного Петербурга начала девяностых — кинокритик и сценарист Сергей Добротворский и его юная жена Карина. Но счастливая романтическая история обернулась жестким триллером. Она сбежала в другой город, в другую жизнь, в другую любовь. А он остался в Петербурге и умер вскоре после развода. В автобиографической книге "Кто-нибудь видел мою девчонку? 100 писем к Сереже" Карина Добротворская обращается к адресату, которого давно нет в живых, пытается договорить то, что еще ни разу не было сказано. Хотя книга написана в эпистолярном жанре, ее легко представить в виде захватывающего киноромана из жизни двух петербургских интеллектуалов, где в каждом кадре присутствует время.

Сергей Николаевич, главный редактор журнала "СНОБ"

УДК 821.161.1-94
ББК 84(2Рос=Рус)6-44

ISBN 978-5-17-133929-6

Любить больно. Будто дала позволение
освежевать себя, зная, что тот, другой,
может в любую минуту удалиться с твоей кожей.
Сьюзен Зонтаг. "Дневники"

Когда гроб опускали в могилу, жена
даже крикнула: "Пустите меня к нему!",
но в могилу за мужем не пошла...
А.П. Чехов. "Оратор"

Семнадцать лет назад, в ночь с 26 на 27 августа 1997 года, умер Сергей Добротворский. К тому моменту мы уже два месяца были в разводе. Таким образом, я не стала его вдовой и даже не присутствовала на похоронах.

Мы прожили с ним шесть лет. Сумасшедших, счастливых, легких, невыносимых лет. Так случилось, что эти годы оказались самыми главными в моей жизни. Любовь к нему, которую я оборвала, — самой сильной любовью. А его смерть — и моей смертью, как бы пафосно это ни звучало.

За эти семнадцать лет не было ни дня, чтобы я с ним не разговаривала. Первый год прошел в полусознательном состоянии. Джоан Дидион в книге "Год магических мыслей" описала невозможность разорвать связь с умершими любимыми, их физически осязаемое присутствие рядом. Она — как и моя мама после папиной смерти — не могла отдать ботинки умершего мужа: ну как же, ему ведь будет не в чем ходить, если он вернется, — а он непременно вернется.

Постепенно острая боль отступила — или я просто научилась с ней жить. Боль ушла, а он остался со мной. Я обсуждала с ним новые и старые фильмы, задавала ему вопросы о работе, хвасталась своей карьерой, сплетничала про знакомых и незнакомых, рассказывала о своих путешествиях, воскрешала его в повторяющихся снах.

С ним я не долюбила, не договорила, не досмотрела, не разделила. После его ухода моя жизнь распалась на внешнюю и внутреннюю. Внешне у меня был счастливый брак, прекрасные дети, огромная квартира, замечательная работа, фантастическая карьера и даже маленький дом на берегу моря. Внутри — застывшая боль, засохшие слезы и бесконечный диалог с человеком, которого больше не было.

Я так свыклась с этой макабрической связью, с этой Хиросимой, моей любовью, с жизнью, в которой прошлое важнее настоящего, что почти не задумывалась о том, что жизнь может быть совсем другой. И что я снова могу быть живой. И — страшно подумать — счастливой.

А потом я влюбилась. Началось это как легкое увлечение. Ничего серьезного, просто чистая радость. Но странным образом это невесомое чувство, ни на что в моей душе не претендующее, вдруг открыло в ней какие-то шлюзы, откуда хлынуло то, что копилось годами. Хлынули слезы, неожиданно горячие. Хлынуло счастье, перемешанное с несчастьем. И во мне тихо, как мышь, заскреблась мысль: а вдруг он, мертвый, меня отпустит? Вдруг позволит жить настоящим?

Годами я говорила с ним. Теперь я стала писать ему письма. Заново, шаг за шагом, проживая нашу с ним жизнь, так крепко меня держащую.

Мы жили на улице Правды. Нашей с ним правды. В этих письмах нет никаких претензий на объективный портрет Добротворского. Это не биография, не мемуары, не документальное свидетельство. Это попытка литературы, где многое искажено памятью или создано воображением. Наверняка многие знали и любили Сережу совсем другим. Но это мой Сережа Добротворский — и моя правда.

1.

Привет! Почему у меня не осталось твоих писем?
Сохранились только несколько листков с твоими смешными стишками, написанными-нарисованными руко-
творным печатным шрифтом. Несколько записок, тоже
написанных большими полупечатными буквами.
Сейчас я понимаю, что почти не помню твоего
почерка. Ни мейлов, ни смс — ничего тогда не было.
Никаких мобильных телефонов. Даже пейджер был
атрибутом важности и богатства. А статьи мы передавали отпечатанными на машинке — первый (286-й)
компьютер появился у нас только спустя два года после
того, как мы начали жить вместе. Тогда в нашу жизнь
вошли и квадратные дискеты, казавшиеся чем-то ино-
планетным. Мы часто передавали их в московский
"Коммерсант" с поездом.

   Почему мы не писали друг другу писем? Просто
потому, что всегда были вместе? Однажды ты уехал
в Англию — это случилось, наверное, через месяц или
два после того, как мы поженились. Тебя не было
совсем недолго — максимум две недели. Не помню,
как мы тогда общались. Звонил ли ты домой? (Мы
жили тогда в большой квартире на 2-й Советской,
которую снимали у драматурга Олега Юрьева.) А еще

ты был без меня в Америке — долго, почти два месяца. Потом я приехала к тебе, но вот как мы держали связь всё это время? Или в этом не было такой уж безумной потребности? Разлука была неизбежной данностью, и люди, даже нетерпеливо влюбленные, умели ждать.

Самое длинное твое письмо занимало максимум полстраницы. Ты написал его в Куйбышевскую больницу, куда меня увезли на скорой помощи с кровотечением и где поставили диагноз "замершая беременность". Письмо исчезло в моих переездах, но я запомнила одну строчку: "Мы все держим за тебя кулаки — обе мамочки и я".

Жизнь с тобой не была виртуальной. Мы сидели на кухне, пили черный чай из огромных кружек или кисловатый растворимый кофе с молоком и говорили до четырех утра, не в силах друг от друга оторваться. Я не помню, чтобы эти разговоры перемежались поцелуями. Я вообще мало помню наши поцелуи. Электричество текло между нами, не отключаясь ни на секунду, но это был не только чувственный, но и интеллектуальный заряд. Впрочем, какая разница?

Мне нравилось смотреть на твое слегка надменное подвижное лицо, мне нравился твой отрывистый аффектированный смех, твоя рок-н-ролльная пластика, твои очень светлые глаза. (Ты писал про Джеймса Дина, на которого, конечно, был похож: "актер-неврастеник с капризным детским ртом и печальными старческими глазами".) Когда ты выходил из нашего домашнего пространства, то становилась очевидной несоразмерность твоей красоты внешнему миру, которому надо было постоянно что-то доказывать, и прежде всего — собственную состоятельность. Мир был большой — ты был маленький. Ты, наверное, страдал от этой несоразмерности. Тебя занимал феномен гипнотического воздействия на людей, который заставляет забыть о невысоком росте: "Крошка Цахес", "Парфюмер", "Мертвая зона". Ты тоже умел завораживать. Любил окружать себя теми, кто тобой восторгался. Любил, когда тебя называли учителем. Обожал влюбленных в тебя студенток. Многие из твоих друзей обращались к тебе на "вы" (ты к ним тоже). Многие называли по отчеству.

Я никогда тебе этого не говорила, но ты казался мне очень красивым. Особенно дома, где ты был соразмерен пространству.

А в постели между нами и вовсе не было разницы в росте.

2.

22 января 2013

Я так отчетливо помню, как увидела тебя в первый раз. Эта сцена навсегда засела у меня в голове — словно кадр из фильма новой волны, из какого-нибудь "Жюля и Джима".

Я, студентка театрального института, стою со своими сокурсницами на переходе у набережной Фонтанки, около сквера на улице Белинского. Напротив меня, на другой стороне дороги — невысокий блондин в голубом джинсовом костюме. У меня волосы до плеч. Кажется, у тебя они тоже довольно длинные. Зеленый свет — мы начинаем движение навстречу друг другу. Мальчишеская худая фигурка. Пружинистая походка. Едва ли ты один — вокруг тебя на Моховой всегда кто-то вился. Я вижу только тебя. По-женски тонко вырезанное лицо и голубые (как джинсы) глаза. Твой острый взгляд меня резко полоснул. Я останавливаюсь на проезжей части, оглядываюсь:

— Это кто?

— Ты что! Это же Сергей Добротворский!

А, Сергей Добротворский. Тот самый.

Ну да, я много слышала про тебя. Гениальный критик, самый одаренный аспирант, золотой мальчик, любимец Нины Александровны Рабинянц, моей и твоей преподавательницы, которую ты обожал за ахматовскую красоту и за умение самые путаные мысли приводить к простой формуле. Тебя с восторженным придыханием называют гением. Ты дико умный. Ты написал диплом об опальном Вайде и польском кино. Ты — режиссер собственной театральной студии, которая называется "На подоконнике". Там, в этой студии на Моховой, в двух шагах от Театрального института (так написано в билете), занимаются несколько моих друзей — однокурсник Леня Попов, подруга Ануш Варданян, университетский вундеркинд Миша Трофименков. Туда заглядывают Тимур Новиков, Владимир Рекшан, длинноволосый бард Фрэнк, там играет на гитаре совсем еще юный Максим Пежемский. Там ошивается мой будущий лютый враг и твой близкий друг, поэт Леша Феоктистов (Вилли).

Мои друзья одержимы тобой и твоим "Подоконником". Мне, презирающей подобного рода камлания, они напоминают сектантов. Андеграундные фильмы и театральные подвалы меня не привлекают. Я хочу стать театральным историком, азартно роюсь в пыльных архивах, близоруко щурюсь, иногда ношу очки в тонкой оправе (еще не перешла на линзы) и глубоко запутана в отношениях с безработным философом, мрачным и бородатым. Он годится мне в отцы, мучает меня ревностью и проклинает всё, что так или иначе уводит меня из мира чистого разума (читай — от него). А театральный институт уводит — каждый день. (Недаром театр на моем любимом сербском — "позорище", а актер — "глумец".)

Театральный институт был тогда, как сказали бы сейчас, местом силы. Это были его последние золотые дни. Здесь еще преподавал Товстоногов, хотя жить ему оставалось недолго, несколько месяцев. Ты называл его смерть счастливой — он умер мгновенно (про смерть говорят "скоропостижно", больше ведь ни про что так не говорят?), за рулем. Все машины поехали, когда включился зеленый свет, а его знаменитый "мерседес" не двинулся с места. Так умирает герой Олега Ефремова за рулем старой белой "волги" в фильме с невыносимым названием "Продлись, продлись, очарованье" — под тогдашний истерически-бодрый хит Валерия Леонтьева "Ну почему, почему, почему был светофор зеленый? А потому, потому, потому, что был он в жизнь влюбленный".

Мы ходили на репетиции к Кацману. Его предыдущий курс был звездным курсом "Братьев Карамазовых" — Петя Семак, Лика Неволина, Максим Леонидов, Миша Морозов, Коля Павлов, Сережа Власов, Ира Селезнева. Кацман любил меня, часто останавливал на институтских лестницах, задавал вопросы, интересовался, чем я занимаюсь. Я болезненно стеснялась, что-то лепетала про темы своих курсовых. Вместе с Кацманом на Моховой преподавал Додин и именно тогда выпустил "Братьев и сестер", на которых мы ходили по десять раз. Лучшие педагоги были еще живы — студентки-театроведки млели от лекций Барбоя или Чирвы, в аудиториях витали эротические флюиды. Студенты-актеры носились со своими невоплощенными талантами и неясным будущим (про самых ярких говорили: "Какая прекрасная фактура!"); студентки-художницы носили длинные юбки и самодельные бусы (ты называл эту манеру одеваться "магазином Ганг"); студенты-режиссеры вели беседы о Бруке и Арто в институтской столовой за стаканом сметаны. Так что и ленинградский театр,

и ЛГИТМиК (он сменил столько названий, что
я запуталась) были еще полны жизни и притягивали
одаренных и страстных людей.

Тогда, на Фонтанке, когда я остановилась
и обернулась, то увидела, что ты тоже обернулся.
Через несколько лет все запоют: "Я оглянулся
посмотреть, не оглянулась ли она, чтоб посмотреть,
не оглянулся ли я". Мне показалось, что ты посмотрел
на меня почти презрительно. При твоем маленьком
росте — сверху вниз.

Ты потом говорил мне, что не помнишь этой
встречи — и что вообще увидел меня совсем не там
и не тогда.

3

26 марта 2013

Так обидно, что сегодня тебя не было рядом со мной. Я ходила на выставку "Дэвид Боуи" в лондонском музее Виктории и Альберта. Я о ней столько слышала и читала, что казалось, я там уже побывала. Но, оказавшись внутри, почувствовала, что сейчас потеряю сознание. Там было столько тебя, что я эту выставку проскочила почти по касательной, не в силах впустить в себя. Потом сидела где-то на подоконнике у внутреннего музейного дворика и старалась удержать слезы (увы, безуспешно).

И дело не в том, что ты всегда восхищался Боуи и сам был похож на Боуи. "Хрупкий мутант с кроличьими глазами" — так ты его однажды назвал. И не в том, что твои коллажи, рисунки, даже твой полупечатный почерк так напоминали его. И даже не в том, что для тебя, как и для него, так много значила экспрессионистская эстетика, так важны были Брехт и Берлин, который ты называл городом-призраком, исполненным пафоса, пошлости и трагизма. Дело в том, что жизнь Боуи была бесконечной попыткой превращения себя в персонаж, а жизни — в театр. Сбежать, спрятаться, изобрести себя заново, обмануть всех, закрыться маской.

Я нашла твою статью о Боуи двадцатилетней давности. "Кинематограф по определению был и остается искусством физической реальности, с которой Боуи долго и успешно боролся, синтезируя собственную плоть в некое художественное вещество".

Помню, как ты любовался его разноцветными глазами. Называл его божественным андрогином. Как восхищался его персонажем — ледяной белокурой бестией — в умозрительном и статичном фильме Осимы "Счастливого Рождества, мистер Лоуренс", который ты любил за нечеловеческую красоту двух главных героев. Как говорил, что вампирский поцелуй Боуи с Катрин Денев в "Голоде" — едва ли не самый прекрасный экранный поцелуй. Тогда меня всё это не слишком впечатляло, но теперь неожиданно ударило в самое сердце. И в той же твоей статье я читаю: "Кинематограф так и не уловил закон, по которому живет это вечно изменяющееся тело. Но кто знает, может быть, именно сейчас, когда виртуальная реальность окончательно потеснила физическую, мы все-таки узреем истинный лик того, кто не отбрасывает тени даже в ослепительном луче кинопроектора".

Ну почему, почему у меня текут эти глупые слезы? Ты умер, он жив. Счастливо женат на роскошной Иман, остепенился, обрел вполне себе физическую реальность — и как-то живет со своим виртуальным мифом.

А ты умер.

4.

20   **29 марта 2013**

Сегодня так скучаю по тебе! Рылась в сети — вдруг найдется что-то, что я о тебе совсем не знаю? Разыскала письма Леньки Попова, блестящего театрального критика, одного из тех, кто называл тебя учителем. (Вот привычно написала "Ленька" и вспомнила, что Попов всегда страстно защищал букву "ё". Так что — все-таки — Лёнька.) Он умер через два года после тебя — от лейкемии. Говорят, накануне смерти он просил театральную афишу — был уверен, что к концу недели сможет пойти в театр. Ему было тридцать три, меньше, чем тебе на момент твоей смерти. Он умер так нелепо, так рано. Почему? Он не убегал от себя (ты писал, что романтический герой всегда бежит от самого себя, а значит — по кругу), не осмыслял свой обожаемый театр как трагический медиум. Хотя что я о нем знала?

Лёнькины письма я тогда пропустила. Я столько лет после твоей смерти жила как сомнамбула — и так много всего мимо меня проскользнуло. В одном письме Лёнька пишет своему приятелю Мише Эпштейну, это 1986 год: "Мишка, ты видел этого человека?! Ну так что тут говорить? Говорить ли о том, какое счастье с ним работать, общаться с ним и вообще?.. Если он далеко не бездарный актер, гениальный организатор (это половина режиссерского успеха), великий педагог, непревзойденный рассказчик, собеседник и собутыльник, большой знаток современного искусства, философии, музыки — ну что там перечислять все его достоинства? После встречи с ним мы встречались с Трофименковым где-нибудь около полугода и не могли говорить ни о чем, кроме как о нем".

Кажется, именно Лёнька, твой фанатичный студиец, затащил меня на премьеру пьесы Воннегута "С днем рождения, Ванда Джун!" в твоем театре-студии "На подоконнике". А может быть, меня позвала Ануш, подруга первого года моей институтской жизни. По-армянски яркая Ануш носила смелые малиновые штаны из плащевки, которые я одалживала у нее в решающие моменты, и играла в "Ванде Джун" главную женскую роль. Ты потом не раз говорил мне, что режиссер должен быть влюблен в свою актрису, и, думаю, был немного влюблен в Ануш. Шла я на этот спектакль неохотно, ничего хорошего не ожидая. Я испытывала инстинктивное отторжение от всякой любительщины — от параллельного кино до подпольного театра. Меня миновал эйфорический этап группового единения, который, наверное, нужно пройти в молодости. Я ведь рассказывала тебе, что в детстве ревела от ужаса на демонстрациях, всегда боялась толпы и так и не полюбила большие компании. "Всякая стадность — прибежище неодаренности", — цитировала я Пастернака. И до сих пор отовсюду сбегаю. То есть у меня даже получается веселиться, особенно если я выпью много шампанского, но быстро наступает момент, когда мне надо тихо исчезнуть.

Когда мы были вместе, ты всегда уходил со мной.
А когда ты был без меня, ты оставался?

Твой спектакль "Ванда Джун" играли летом восемьдесят пятого года. Значит, мне было девятнадцать лет — как и Трофименкову, и Попову, и Ануш. А тебе — целых двадцать семь. Ну вот, а ты казался мне таким взрослым, несмотря на твой мальчишеский облик.

Мне выдали отпечатанную на ксероксе программку, из которой я узнала, что ты нарисовал ее сам. И что сам будешь играть одну из ролей — повешенного майора-нациста, явившегося с того света. А костюмы сделаны Катериной Добротворской — кажется, именно так я впервые узнала, что у тебя есть жена.

Жену мне показали — по-моему, она тоже появилась в спектакле в маленькой роли. Но на сцене я ее не запомнила. Меня поразило, какая она высокая — выше меня — и гораздо выше тебя. Смуглая, худая, с хриповатым голосом, слегка восточным лицом и глазами без блеска.

Из того, что происходило на сцене, мне не понравилось ничего. Заумный текст, деревянная Ануш, еще какие-то люди, аляповато раскрашенные. Мне было неловко смотреть на сцену. Лёнька Попов в одном из писем писал, что процесс увлекал вас больше, чем результат. Мне теперь так стыдно, что я никогда не говорила с тобой об этой студии, об этом спектакле, отмахнулась от них, как от дилетантской ерунды. Ты, с твоим самолюбием, зная мое отношение, тоже об этом не вспоминал. Я вычеркнула целый — такой огромный — театральный кусок из твоей жизни. Считала его недостойным тебя? Ревновала к прошлому, где меня не было? Была равнодушна ко всему, что меня непосредственно не касалось? Или — как всегда — боялась любого подполья, чувствуя опасность, понимая, что мне там не место, что там ты ускользаешь от меня — и туда в конце концов и уйдешь? Я так хотела бы сейчас сесть с тобой на кухне над кружкой крутого черного чая (на твоей любимой кружке была эмблема Бэтмена) и всё-всё у тебя выспросить. Как вы нашли эту студию? Почему решили делать Воннегута? Почему выбрали такую нудную пьесу? И как это подвальное помещение отнимали, и как ты бегал сражаться за него по обкомам и пытался очаровать теток с халами на голове (я узнала об этом только из твоих коротких писем Лёньке Попову в армию). И правда ли, что ты был влюблен в Ануш? А отдал бы ты эту роль мне, если б я пришла вместе с ней в вашу студию "На подоконнике"? И как вы на этом подоконнике проводили дни и ночи? Все, конечно, смотрели на тебя восторженными глазами, открыв рот? А ты раздувался от гордости и был счастлив? Ничего никогда я так и не спросила, по-свински редактируя твою жизнь, которая в мою схему не укладывалась.

Да, всё в этой подвальной студии (довольно большой и даже неожиданно светлой) показалось мне тоскливым и бессмысленным. Всё, кроме тебя. Ты появился в черной рубашке, залитый кровью, с выбеленным и раскрашенным лицом, как на Хэллоуин, в женских сапогах и с игрушечной обезьянкой в руке. Демонический грим был не страшен, а смешон, но мне почему-то было не смешно. Сейчас я уверена, что ты рисовал свой грим с Боуи, но тогда я едва ли знала, кто это такой. Энергия, исходящая от тебя, была такой сильной, что у меня мурашки по коже пошли. Я вспомнила твой острый взгляд тогда, на Фонтанке. Когда ты выходил на сцену, я тоже остро чувствовала твое физическое присутствие.

Я всегда верила только в результат, меня не волновал процесс. Я не признавала гениев, пока не убеждалась, что они создали нечто и впрямь гениальное. С этого спектакля я вышла с ощущением, что посмотрела ерунду, созданную выдающимся человеком.

Прости, что я никогда тебе этого так и не сказала.

5

30 марта 2013

Я много лет о тебе ни с кем не говорила. Ни с кем. Я могла тебя процитировать или вспомнить одну из твоих блестящих реплик. Но говорить о тебе — нет, не могла. Было слишком больно. Возникало ощущение, что тем самым я тебя предаю. Или с кем-то делю. Даже если твои родители произносили что-то вроде "А вот Сережка бы, наверное, сейчас..." — я молчала в ответ.

И вдруг — я заговорила. С удивлением обнаружила, что не только не чувствую боли, произнося твое имя или странное словосочетание "мой первый муж", но даже получаю от этого удовольствие. Что это? Почему? Потому ли, что я стала тебе (и о тебе) писать, понемногу выпуская своих демонов? Или потому, что я влюбилась?

Сегодня я видела Таню Москвину — впервые за много лет. Вы вместе учились в институте, ты восхищался мощью ее критического дара и способностью ничего и никого не бояться. Танька всегда резала правду-матку, была иррациональна, пристрастна и явно страдала от того, что ее тонкая душа помещена в несообразно большое тело (ты наверняка так же страдал от своих "карманных" размеров). Однажды, когда мой сын Иван был еще совсем маленьким,

Москвина пришла ко мне в гости. Иван внимательно посмотрел на ее яркое асимметричное лицо. Она, как и я, перенесла в юности неврит лицевого нерва. Когда меня в восемнадцать лет привезли с наполовину парализованным лицом в больницу, медсестра, записывающая мои данные, спросила: "Работаете, учитесь?". — "Учусь в театральном институте, на театроведческом факультете". — "Слава богу, что на театроведческом. Актрисы-то из вас теперь не выйдет, с таким-то лицом". Что из меня теперь не выйдет красивой женщины и что это для меня куда большая драма, ее не занимало.

— А почему у тебя один глаз меньше другого? — поинтересовался Иван у Москвиной.

— Сейчас я как дам тебе в глаз, и у тебя будет то же самое, — немедленно парировала Танька. То, что такое обычно не говорят маленьким детям, ей и в голову не приходило. Так она жила — ни в чем никаких ограничений. Ты свою бунтарскую природу мучительно укрощал, к тому же был деликатен и не любил задевать людей. А Танька позволяла себе всегда и во всем быть собой и ничего не делать наполовину. Если бутылка водки — то до дна. Если страсть — то до победного конца. Если ненависть — то до самых печенок. Она умела быть так упоительно свободной и так одержимо неправой, что ты немного ей завидовал. Она тебе всегда отдавала должное, как будто ваша группа крови, замешанная на питерском патриотизме, была одинаковой.

Сегодня Москвина рассказала мне, как ты впервые показал ей меня — в библиотеке Зубовского института на Исаакиевской, 5, куда вы с ней два раза в неделю ходили в присутствие.

— Смотри, какая девушка, — гордо сказал ты. — Это Карина Закс. Она очень интересуется рок-культурой.

— А наш роман уже начался тогда? — спросила я Таню.

— Кажется, нет. Но он уже явно был влюблен.

Ну да, рок-культура, конечно. На третьем году обучения я написала курсовую работу под названием "Над пропастью во ржи". Тогда было модно рассуждать про молодежную культуру. Альтернативную молодежь, разными способами выказывающую презрение к обществу, почему-то называли системой, а мохнатых татуированных юношей, которые скандировали "Мы вместе!" на концертах "Алисы", — системщиками (сейчас системой называют тех, кто группируется вокруг власти и денег, а системщиками — тех, кто приводит в порядок компьютеры). "Мир, как мы его знали, подходит к концу", — с особым ленинградским придыханием пел Гребенщиков, закидывая голову и закрывая глаза. Он был первым рокером, чью кассету я слушала по десять раз на дню, еще не зная, как он золотоволос и хорош собой. Ленинградский рок-клуб, погружавший нас в сексуальный экстаз, латышская картина "Легко ли быть молодым?", Цой, похожий на Маугли и всегда одетый в черное, бешеный Кинчев с подведенными глазами в фильме "Взломщик", передачи "Взгляд" и "Музыкальный ринг" на ленинградском телевидении, где взрослые дяди снисходительно пытались разобраться с неформалами и как-то отформатировать рокеров (легче всего этому форматированию поддавался, конечно, БГ, которому на любые системы всегда было наплевать). Я написала страстную курсовую от первого лица, где мой папа высказывал пошло-примирительные идеи старшего поколения, где институтские гардеробщицы ругали мерзкую волосатую молодежь и где цитаты из "Аквариума", "Алисы" и шинкаревских "Митьков" иллюстрировали мои наивные мысли о духовной свободе. Эта захлебывающаяся студенческая работа понравилась руководительнице критического семинара Татьяне Марченко. Она показала ее Якову Борисовичу Иоскевичу, который вместе с тобой делал сборник статей о молодежной культуре.

Меня вызвали на Исаакиевскую — на встречу с вами обоими. Я готовилась к этой встрече, безжалостно завивала длинные волосы горячими щипцами, румянила щеки ватой, густо красила ресницы (тушь надо было развести слюной) и слоями накладывала тональный крем. Зачем я это делала — понятия не имею, моя кожа была идеально гладкой и косметики не требовала. Но мне с детства казалось, что можно быть лучше, красивей, хотелось преодолеть разрыв между тем, какой я была на самом деле и какой могла бы быть, если б... Если б что? Ну хотя бы волосы были кудрявей, глаза больше, а щеки румяней. Как будто, намазывая лицо тональником (продукт совместного творчества *L'Oreal* и фабрики "Свобода", конечно же, неправильного оттенка, куда темнее, чем требовался моей бледной коже), я пряталась под маской. При этом я надела джинсы с шестью молниями — молодежная культура все-таки. Не жук чихнул.

Я была уверена, что ты будешь меня хвалить, ведь не каждую студентку третьего курса собираются печатать во взрослом научном сборнике. Ты вошел на кафедру, смерил меня ледяным взглядом (я спросила себя, помнишь ли ты нашу встречу на Фонтанке) и высокомерно сказал:

— Я не поклонник такого стиля письма, как ваш.

Я молчала. Да и что можно было ответить? Я-то считала, что написала нечто и вправду классное. И вообще, не я сюда напросилась, вы меня позвали.

— Вы пишете очень по-женски, истерично и эмоционально. Очень сопливо. Много штампов. И к тому же это надо будет в два раза сократить, — произнося всё это, ты почти на меня не смотрел. Ты потом говорил мне: "Ты была такая царственная и красивая, что я совсем растерялся, нахамил тебе и даже взглянуть на тебя боялся".

Я продолжала молчать. В этот момент на кафедру вошел Яков Борисович.

— А, так это вы — та самая Карина? Прекрасная работа, прекрасная. Очень украсит наш сборник — написано так страстно и с такой личной интонацией.

Помню, что я испытала благодарность ему и обиду на тебя, который в этот момент равнодушно смотрел в окно.

Текст я действительно сократила вдвое. Но не убрала из концовки своего отца с его репликами из репертуара тогдашних "папиков" ("папиным" в то время называли не только кино). Тебе этот финал казался глупым, а мне — принципиальным, потому что мне хотелось сохранить эту личную интонацию. Обида долго не проходила, я не могла забыть, как ты со мной обошелся. С тех пор мне казалось, что ты продолжаешь меня презирать, и, когда я где-то встречала тебя, я как будто слышала твой голос: "Я не поклонник такого стиля..." И бурчала себе под нос: "Ну а я не поклонник вашего интеллектуального занудства".

Но цену этому занудству я уже начала понимать.

6.

Привет! Я начинаю письмо и теряюсь — как мне к тебе
обращаться? Я никогда не называла тебя Сережей или
Сережкой. И уж точно никогда не говорила — Сергей.
Когда ты читал у нас лекции, я могла обратиться к тебе
"Сергей Николаевич". Впрочем, едва ли; скорее всего,
я избегала имени, потому что уже понимала, что между
нами существует пространство, где отчество не пред-
полагается. Я никогда не обращалась к тебе по фамилии,
хотя другие твои девушки — до меня — это делали.
Твоя первая жена Катя называла тебя "Добским" —
меня всегда передергивало от этого собачьего имени.
А может быть, просто от ревности.

До меня только недавно дошло, что никого из
своих любимых мужчин я не могла называть по имени,
словно боясь коснуться чего-то очень сокровенного.
И меня никто из них не называл в глаза Кариной,
всегда придумывались какие-то нежные или забавные
прозвища. Но когда все-таки называли, то это задевало
меня как что-то почти стыдное. А может, мне просто
были необходимы имена, которые были бы только
нашими, — никем не истрепанные.

Когда мы начали жить вместе, то довольно скоро
стали называть друг друга Иванами. Почему Иванами?

Ужасно жаль, я совсем не помню. Не помню, как и когда это имя пробралось в наш словарь. Зато помню все его модификации — Иванчик, Ванька, Ванёк, Ванюшка, Иванидзе. Всегда в мужском роде. И помню, как мы однажды стали смеяться, когда я впервые назвала тебя Иваном в постели. Ты ведь не любил говорить в постели? И еще помню, как твоя мама, Елена Яковлевна, ревела в телефонную трубку:

— Ты ведь сына Иваном назвала, да? В честь Сережки?

Это было в тот день, когда я узнала о твоей смерти.

7.

2 апреля 2013

Когда я влюбилась в тебя? Сейчас мне кажется, что я влюбилась с первого взгляда. И что каждая следующая встреча была особенной. На самом деле в то время я была влюблена в другого, чью систему ценностей безоговорочно принимала. Я тебя остро чувствовала, это безусловно. Но прошло еще несколько лет, прежде чем я осознала, что это любовь.

Случилось это, когда ты читал у нас лекции по истории кино, подменяя Якова Борисовича Иоскевича. Я училась на последнем курсе, значит, мне было года двадцать два. А тебе, соответственно, — тридцать, вполне серьезный возраст. Лекции Иоскевича нам нравились, но казались уж слишком заумными. Когда вместо него пришел ты и сказал, что Яков Борисович заболел и что ты проведешь несколько занятий, мы обрадовались.

Ты нас ошеломил — как ошеломлял всех своих студентов. Нервной красотой, завораживающей пластикой рук, необычным сочетанием развинченности и собранности, энергией, эрудицией. Нам казалось, что ты перебрал по крошечным кубикам всю историю кино и выстроил ее заново по собственным законам. Первая твоя лекция длилась часа три, но никто не устал и не отвлекся. "Прежде чем научить, надо влюбить в себя. Иначе не получается. То есть получается, но как бы не до конца, вполовину, за вычетом любви". Мы влюбились. В аудитории сидели одни девушки. Ты с нами не заигрывал, не шутил, не демонстрировал свое блистательное чувство юмора. Мне снова мерещилась надменность, которая меня в тебе пугала. Но как только ты вошел в аудиторию, мне показалось, что между нами есть какая-то особая тайная связь. А как же, ведь была история с моим текстом про молодежную культуру. И я ходила на премьеру твоего спектакля и видела тебя с раскрашенным лицом в роли живого трупа. И у нас столько общих знакомых. И все-таки ты оглянулся тогда на Фонтанке и увидел, что я тоже оглянулась.

Ты вспоминал, как я, будучи старостой курса, положила перед тобой на стол журнал и показала пальцем с обкусанным ногтем, где надо расписаться. Я это тоже помню. Ноготь был страшный — я не приучена была делать маникюр и очень стеснялась своих неухоженных рук.

— Но я была красивая? Я тебе нравилась? — спрашивала я.

— Ты дико кокетничала. Накручивала волосы на палец и строила глазки. Я старался на тебя не смотреть, потому что не мог сосредоточиться.

А я смотрела на тебя не отрываясь.

8.

3 апреля 2013

Иванчик! Сегодня вспоминала, как Трофим, Миша Трофименков, рассказывал, что это он меня тебе подарил.

Так и было — задолго до того, как начался наш с тобой роман.

Однажды Трофим сказал, что ты мной всегда восхищаешься, поэтому можно выкинуть милую глупую шутку — перевязать меня ленточкой и привести к тебе на день рождения. Как подарок. Я открыла рот. Добротворский? Восхищается? Мной? Шутишь? Да он меня всегда презирал! Но сказано — сделано. Трофим привез меня в квартиру на Наличной. У тебя горели глаза, от тебя било током (не знаю, был ли ты пьян или что-то другое). Ты устроил из трофимовского подарка целый спектакль, весь вечер хватал меня за руку и подводил к кучкам знакомых и незнакомых людей:

— Это Карина, мне ее подарили. Она теперь моя. Правда, красивая?

Помню, что там была твоя жена Катя, которая громко смеялась и подыгрывала тебе. Не думаю, что ей на самом деле было смешно.

Потом еще год или два, где бы мы с тобой ни встречались, ты в шутку говорил:

— Это моя девчонка! Мне ее подарили.

9.

Как мы в первый раз поцеловались? Мы были совсем
пьяные. В начале нашего романа мы всё время были
пьяные, иначе нам не удалось бы разрушить столько
барьеров сразу и так отчаянно кинуться друг к другу.
Алкоголь был нашим эликсиром храбрости, который
мы жадно лакали, как Трусливый Лев из "Волшебника
Изумрудного города". Не помню, где и как мы в тот
день начали пить. Не помню, что именно мы пили —
наверняка какую-то гадость, а что еще все мы тогда
пили? Кажется, уже наступили времена спирта "Рояль"
в огромных бутылях, из которого что только не делали — от клюквенной настойки до яичного ликера.
Чуть позже в каждом киоске можно было купить ликер
"Амаретто". Не уверена, что существовала хотя бы еще
одна страна, в которой этот приторный липкий напиток
пили литрами и закусывали соленым огурцом.

В тот день мы оказались одни в квартире твоего
приятеля. Что пили, обычно не запоминаю. А вот как
я была одета — не забываю никогда. На мне была
длинная косого кроя черная юбка из жесткого жатого
хлопка, широченный черный пояс стягивал несуще-
ствующую талию, белая хлопковая блузка в мелкий
черный горошек — всю эту красоту я привезла из

Польши, куда ездила по студенческому обмену. Заграничная роскошь, пусть и социалистического происхождения. Одна из твоих лучших статей называлась "Заграница, которую мы потеряли" и была посвящена образу Запада, созданному советским кино, "секретной республике, населенной прибалтийскими актерами и польскими актрисами". В ней ты оплакал Лондон, снятый во Львове, и Вильнюс, загримированный под Берлин, пачки "Мальборо", набитые "Космосом", американских конгрессменов в чешских галстуках, влюбчивых парижанок в пальто из кожзаменителя и баночное пиво, которое редко открывали в кадре, потому что всей группой открывали еще до съемки...

Туфли на мне были тоже заграничные, югославские. Мои единственные нарядные туфли (мама называла их "модельными") — из черной блестящей кожи, узкие, с вырезанным носочком, без каблука (румынские туфли на каблуках лежали у мамы в коробке под кроватью, я тайно надела их один раз, покоцала каблуки и была жестоко отругана). Эти югославские туфли были мне малы на два размера — я купила их у маминой подруги, вернувшейся из загранпоездки. Туфель моего сорокового размера тогда и вовсе не существовало, но невозможно же было из-за такой ерунды, как размер, отказаться от подобной красоты! Я вечно чувствовала себя сестрой Золушки, прихрамывающей в чужом башмачке. Как и многие советские девушки, я изуродовала ступни неправильной тесной обувью. Может быть, поэтому я сейчас скупаю туфли всех цветов и форм, выстраиваю их стройными рядами и счастлива от одного сознания, что они у меня есть. Сорокового, сорокового с половиной и даже сорок первого размера!

Мы стояли на кухне, я опиралась на подоконник.
Ты был ниже меня ростом и смотрел на меня восторженно и в то же время отстраненно. Дотронулся до моих длинных волос — как будто проверял, из чего они сделаны. Положил руки мне на грудь — так осторожно, словно грудь была хрустальная. Стал очень медленно расстегивать блузку. Под ней был белый кружевной открытый бюстгальтер, который тогда называли "Анжеликой" — такая специальная модель, высоко поднимавшая грудь, купленная где-то по случаю за бешеные деньги — 25 рублей. В нем моя и без того не маленькая грудь казалась какой-то совсем порнографической — и одновременно почти произведением искусства. Я опустила глаза и посмотрела на нее как будто твоим взглядом. И, кажется, впервые ощутила, что грудь у меня и в самом деле красивая. У меня коленки дрожали и внизу живота всё сжималось до острой боли — я не помню более эротического момента в моей жизни. Ты аккуратно и сосредоточенно накрыл ладонями обе груди и произнес, почти как заклинание:

— Это всё слишком для меня, слишком.

Едва прикасаясь губами, ты поцеловал меня в каждую грудь несколько раз — тебе почти не пришлось наклоняться. Я стояла неподвижно. Не помню даже, подняла ли я руки, чтобы тебя обнять. По-моему, нет. Спросила:

— Что — слишком?

— Ты — слишком. Слишком красивая. Эта грудь. Эта кожа. Эти глаза. Эти волосы. Неужели это всё для меня?

И еще ты спросил:

— У тебя ведь есть кто-то, кому это принадлежит, да?

Секса у нас с тобой в тот день не было, да и не могло быть, потому что — ты был прав — я по-прежнему принадлежала бородатому философу, которого все называли Марковичем. Он, кстати, приехал в тот день и по-хозяйски увёл меня, всё ещё дрожащую изнутри от твоих касаний. Эти бережные прикосновения ко мне, как к драгоценному объекту, как к кукле наследника Тутти, я никогда не забуду. Больше никто меня так не трогал.

И даже ты больше никогда так не трогал.

10.

Иванчик, я, кажется, влюбилась. Чувствую себя как будто пьяной — из-за совсем юного парня. Написала "юный" и улыбнулась. Ничего себе юный — тридцать три года, больше, чем было тебе на момент нашего романа. Он на тринадцать лет младше меня, поэтому я и воспринимаю его как мальчика.

Ты сейчас сказал бы:

— Иванчик, ну ты совсем пошел вразнос!

Я знаю, знаю. Знаю я, что бы ты сказал. Что все скажут. Гормональное. Материнское. Что там еще... Ну да, конечно. Так и вижу, как выстроились в ряд увядающие истерички с проблемами в нижнем отсеке, как выразилась бы Рената Литвинова. Со сниженными эстрогенами и со своими игрушечными мальчиками. Но мой мальчик бы тебе понравился. Ты любил тех, в ком чувствовал чистоту, уязвимость, застенчивость, робость. Ты любил красивых людей, а он красивый. Хотя, может быть, я просто смотрю на него сквозь любовные линзы.

"Они дали фильму нечто большее, чем жизнь. Они дали ему стиль", — так ты писал про ослепительно красивых героев "Человека-амфибии".

За стиль ты многое готов был простить. И я тоже. Все-таки я у тебя училась.

Мой юноша чем-то напоминает мне тебя, хотя ты был маленьким, легким и грациозным — в Америке тебя иногда принимали за Барышникова. А он — высоченный, под два метра, слегка неловкий, неповоротливый, с сорок пятым размером ноги. Но в его тонко вырезанных чертах и размыто-светлых глазах есть что-то твое. Какая-то тоска, легкая безуминка. Во взгляде нет твоей грустной мудрости, но есть отчаяние, как у Дворжецкого в роли Хлудова. И его тоже зовут Сережа. (Ну прямо Анна Каренина в бреду: "...какая странная, ужасная судьба, что оба Алексея, не правда ли?")

Снова Сережа. Никогда не любила это имя.

Сережа — программист, совсем не интеллектуал. Слегка аутичный, как многие компьютерщики. Как я могла влюбиться в человека, который спрашивает: "А кто такой Джойс?" или "Что написал Флобер?" Не слышал про "Доктора Калигари", не отличает Фассбиндера от Фассбендера. Без иронии произносит слово "творчество", желает на ночь счастливых снов и пишет романтические эсэмэски про снежинки, пляшущие в лунном свете. Он тоже страстно любит кино. Но часто смотрит какие-то комедийные американские и британские сериалы, которые меня ничуть не увлекают.

Мне всегда казалось, что самое сексуальное в мужчине — ум. А тут... Нет, не то, что можно было бы подумать. Я влюбилась во что-то другое, хотя его системные мозги устроены занятно, совсем не так, как у меня (у нас с тобой). Мне трудно произносить слово "душа" без кавычек, но тут что-то явно без кавычек.

Ты наверняка спросил бы:

— Господи, где ты такого отыскала-то?

Почти служебный роман. Он родился в Москве, но вырос и жил в Южной Африке, у черта на куличках, потом вернулся в Россию, работал у нас в издательском доме. Я его замечала краем глаза, но не краем сердца — симпатичный, высокий, с чуть раскосыми глазами и всегда застенчивой улыбкой. А зимой, когда я уже готовилась к отъезду в Париж, Сережа пришел ко мне домой, чтобы сказать, что он возвращается в свою Африку — ну не получается существовать в Москве. Солнца не хватает, счастья не хватает, ничего не хватает. Держал в руках пакет с прустовскими мадленками из ближайшей пекарни (он, скорей всего, не знал, что они называются мадленки, и тем более не знал, при чем тут Пруст). Я уже не жила с Лешей и находилась в состоянии транзита — впереди новая работа, новая страна, новая свобода. Так почему бы нет? Я вот-вот уеду, он вот-вот уедет, мы больше никогда не увидимся, что я теряю? Он такой красивый.

Я слышу твой голос:

— Ладно, колись, самое страшное уже было?

О, эти наши словечки! Самое страшное — это секс. "Самое страшное было?" Так девчонки-старшеклассницы шепотом спрашивали друг дружку. А самое главное — это любовь. В школе самое страшное считалось возможным только после того, как Он сказал самое главное.

Самое страшное было, да. Мы оба очень много выпили, иначе бы, наверное, не решились. Слишком много преград — возрастных, интеллектуальных, эмоциональных, социальных. Мы сидели в моей московской гостиной и говорили уже часа четыре. Наконец он взял меня за руку — с каким-то трагиче-

ским выдохом, почти обреченно. Я притянула его
голову к себе и поцеловала в губы. Он сказал:

— Я это хотел сделать с того момента, как впервые
увидел тебя много лет назад на площадке у лифта.

Он весь дрожал — больше от страха, чем от
желания.

Знаю, что я сентиментальная дура, но меня это
тронуло. Я ответила:

— Ты такой красивый.

А он — вместо того чтобы вернуть мне комплимент:

— И что мне с этой красоты?

И через минуту:

— Отведи меня к себе.

Ты сейчас закричал бы:

— Осторожно — пошлость!

Да. Но именно так я чувствую приближение
новой любви. Исчезает ирония, пафос больше не
страшит и самые глупые слова кажутся глубокими
и осмысленными. Меняется оптика. Всё проходит
через преображающие волшебные фильтры. В твоем
мире мне было легко — всё, что ты говорил и делал,
было талантливо и заряжено интеллектуальной энергией. Твой талант не требовал ни доказательств, ни
понимания, он ощущался кожей. Но его мир! Его мир
надо принять на веру. Принять безусловно, закрыв
глаза на все несообразности, странности, вульгарности.
Может, это и есть настоящая любовь? О которой ты
жестко сказал мне однажды:

— Мне не нужна твоя правда, мне нужна твоя вера!

После того как случилось самое страшное, я сказала Сереже:

— Обещай, что ты не будешь в меня влюбляться,
ладно? Ничего хорошего для тебя из этого не выйдет.

— А что, если ты влюбишься в меня? — спросил он в ответ.

Я подумала: "Господи, какой глупый мальчик! Я — в него! Просто смешно". Но уже догадывалась, что не так уж это и смешно.

Почему мне кажется, что ты бы меня понял? Когда я с ним, я всё время думаю о тебе. Но без боли и без муки, с какой-то новой радостью, как будто я стала к тебе ближе.

И я ему рассказала о тебе — в первую же ночь.

11.

10 апреля 2013

Почему мы с тобой никогда не вспоминали нашу
первую ночь? Наш первый секс? Наше пьяное безумие,
отчаянную ролевую игру?

Дело было летом. С датами у меня плохо, но,
наверное, это был девяностый год? Вокруг нас бушева-
ла историческая буря, но почти всё стерлось из памяти.
Телевизор я смотрела мало, газет не читала, радио не
слушала, интернета ни у кого не было. Я жила в мире
влюбленностей, доморощенной и книжной философии, разговоров с подругами о самом страшном
и самом главном, книг и толстых журналов, учебы,
фильмов, театра. За нашими спинами трещала по швам
большая советская история, но я, увлеченная тем, как
менялась моя маленькая жизнь, этим не интересовалась. Всё происходящее в стране воспринималось как
яркий, но далекий фон. Хотя, возможно, безумие,
которое творилось с тобой и со мной, было отголо-
ском этой прорвавшей плотину свободы.

В тот день мы оказались вместе — в компании
с двумя британскими очкастыми историками кино,
которых мы таскали по Питеру. С нами был юный
московский журналист, чье имя выскользнуло из памяти, была твоя жена Катя и Костя Мурзенко, неотступно

следовавший за тобой длинной носатой тенью. Где мы пили, куда и как перемещались — не помню. Помню, что мы решили разыграть московского юношу, притворившись, что не Катя, а я — твоя жена. Катя, кажется, выдавала себя за иностранку, у нее всегда был отличный английский. Уже совершенно пьяные, мы оказались в чьей-то большой квартире на Пионерской, где я стала танцевать неистовый эротический танец в духе Жозефины Бейкер, о которой тогда и слыхом не слыхала. Москвич хватал меня за руки и всё повторял, что я не должна так танцевать, что тебе, моему мужу, это больно и что нельзя заставлять тебя страдать. Сам он, одуревший от этой дикой пляски и от количества выпитого, уверял, что я самая порочная и самая сексуальная женщина на свете. Удивительным образом я, вся слепленная из комплексов, такой себя и чувствовала — и ничего не боялась. В какой-то момент ты утащил меня в спальню — помню, что кровать была отгорожена шкафом, но не помню, куда делась Катя, — и начал целовать и раздевать, совсем не так бережно, как в первый раз. Ты повторял:

— Ты ведь моя жена?

И я отвечала:

— Да, да, совсем твоя.

Ты не любил болтать в постели, но в ту ночь говорил много — и что-то застряло в моей памяти болезненными занозами. Тогда я узнала, что тебя заводят черные чулки и вообще красивое сексуальное белье. Как важны для тебя женские ноги и коленки — ты много сказал про мои ноги и мои узкие коленки, а я ведь совсем не считала их красивыми, совсем. Как для тебя важно, чтобы женщина в постели была не просто возлюбленной, но и эротическим объектом, персонажем твоих ярких и почти болезненных фантазий. Блядские чулки помогали отстранить женщину, превратить ее в фетиш. Нежность и глубина чувств тебе мешали, нужна была доля анонимности. Любопытно, что в нашу первую ночь мой новый Сережа воспринял чулки как странную помеху. Одежда ему мешает, ему необходимы соприкосновение тел, обнаженность, взгляд глаза в глаза. После первого раза чулки я с ним больше не надевала, приняв условия игры. Вернее, поняв, что игра тут неуместна. Однажды я спросила Сережу о его подростковых эротических фантазиях, и неожиданно он сказал, что мечтал заняться любовью на свежевспаханной земле. На свежевспаханной земле! Он и вправду — с другого конца света. Антипод. Ну а нас с тобой возбуждали чулки, зеркала и шпильки. Какая уж там земля.

Ты был гибким, у тебя было тонкое, пропорциональное и сильное тело без капли лишнего жира. В сексе был резок, молчалив и неутомим. Но редко бывал нежен, редко бережен, не делал серьезных попыток понять мое сложное психофизическое устройство. Если, увлеченный яростной игрой, ты говорил в постели, то это был скорее *dirty talk*.

В ту ночь мы рвали мою одежду, мое белье, колготки — в этом не было наслаждения, а было какое-то почти трагическое отчаяние, попытка куда-то прорваться, до чего-то достучаться. Попытка бесплодная — я бездарно изображала оргазм, боясь задеть твои чувства или показаться неполноценной. Я не понимала тогда, что оргазм — это протяженные во времени судороги, мне казалось, что это мгновенное падение в пропасть. До двадцати пяти лет я ни разу его не испытала — тело и голова не умели существовать в унисон. Но ты, по-моему, ни о чем не догадывался.

Я не помню, как наступило утро, не помню, как мы в тот день расстались. Не помню, когда и где увиделись в следующий раз, кто кому позвонил. Я не любила вспоминать этот день, проведенный в чужой преждевременной роли — твоей жены. Мальчик-журналист, который уговаривал меня не рвать тебе сердце своими разнузданными плясками, примерно через год снова мимолетно появился в нашей жизни — в той жизни, где я была уже твоей настоящей женой. Он так и не понял, что мы прошли через роман, развод, брак. Для него мы по-прежнему были слегка сумасшедшей питерской парой.

Странной семьей Добротворских.

12.

13 апреля 2013

Иванчик, мне всегда так нравилась твоя фамилия.
Свою — короткую и уродливую — я ненавидела.
С детства стеснялась ее, с ужасом ждала вопроса: "Ваша
фамилия?" Научилась произносить в одно слово:
"Закс-не-через-г-а-через-к". Неловко шутила: "Закс.
Не Загс, а Закс. Запись актов какого состояния?"

Я обожала фамилии, заканчивающиеся на "-ая".
Однажды в Крыму, познакомившись с какими-то юношами, назвалась Кариной Заславской. От одного из
них мне долго приходили письма, и отец спрашивал
меня, почему на конверте другая фамилия. Он, конечно,
всё прекрасно понял — и ему наверняка было неприятно. Мне тоже было неприятно и стыдно, но еще более
стыдно было быть Кариной Закс. Для отца, которому
его еврейство переломало судьбу, в этом был элемент
предательства, трусости, вранья, отказа от корней. Но
мой стыд никак не был связан с антисемитизмом, которого я почти не ощущала. Фамилия встраивалась в ряд
моих недостатков. И фигура у меня мальчишеская
(старшая сестра называла меня бревном), и ноги слишком худы ("ножки-палочки", — смеялся мой школьный приятель), и сутулюсь (я рано вытянулась
и пыталась казаться не выше одноклассников),

и руки изуродованы кислотой (мама-химик не слишком удачно прижгла мне бородавки), и в переднем зубе заметна пломба (ее небрежно поставили в пионерском лагере), и на джинсах сзади вшит клин (стали малы, а купить новые было нереально). И в довершение всего эта ужасная фамилия — Закс. К нам в школу однажды приезжали бывшие узники нацистского концлагеря Заксенхаузен. Вот и я себя ощущала узником этого Заксенхаузена, моей гадкой фамилии.

Я жадно стала Добротворской, с радостью отбросив свою девичью фамилию. Через несколько лет, выйдя замуж за Лешу Тарханова, я осталась Добротворской. Я по-прежнему любила свою (твою) фамилию и воспринимала ее как дар.

Забавно, что сейчас, живя в Париже, я тоскую по своей короткой и ясной для западного уха девичьей фамилии. Французы — как и любые западные люди — не в состоянии выговорить твою. Др-бр-вр-тр... Я уже привыкла останавливать их дежурной репликой: *"Don't even try"*. Куда легче было бы зваться здесь *Karina Zaks*.

Но я — *Dobrotvorskaya*.

Это связывает меня с тобой.

13.

15 апреля 2013

Как я оказалась в Париже?

Москву я так и не полюбила. Прожила там шестнадцать лет, редко выбираясь за пределы Садового кольца, не пустила корней, не обросла близкими людьми, не отыскала любимых мест, не наполнила ее своими воспоминаниями. Жила в ноющей тоске по Питеру, но приезжать туда было больно. Нашу с тобой квартиру я отписала твоим родителям, а квартиру своих продала после смерти мамы. Так что и приезжать было некуда — одни могилы. Недавно я купила в Питере славную квартиру на Большой Конюшенной — маленькую, но с высоченными потолками. Поняла, что готова снова приезжать в Питер, но не хочу быть здесь туристом и останавливаться в "Астории". Покупая эту квартиру, я думала, что, может быть, рано или поздно сюда вернусь. Насовсем. Но через месяц или два, после того как я закончила на Конюшенной ремонт, мой босс предложил мне перебраться в Лондон и курировать оттуда редакционную политику нашего издательского дома в Европе и Азии. Я не задумываясь сказала: "Да". Только спросила: "А можно не в Лондон, а в Париж?"

Леша Тарханов уже год жил и работал в Париже — корреспондентом "Коммерсанта". Его парижскую историю задумала и оркестровала я. Он смертельно устал от двадцатилетней газетной работы с ежедневными дедлайнами, равно как и от роли идеального еврейского папы, которую блестяще исполнял. Он всегда мечтал жить в Париже. Мечтал просто писать — не отвечая при этом за огромные газетные полосы и за целый отдел. Оказалось, что это совсем не сложно, стоит только захотеть. Мы просто боимся своих желаний, как боялся их ты.

Леша переехал в Париж. Брак наш к тому времени был уже почти формальным, держался на привычке, на общих рабочих интересах и на обязанностях вокруг детей. Я то и дело раздражалась на него, придиралась к мелочам, скучала, закрывалась в своей комнате, ставила на живот компьютер — и смотрела кино. Наш сын Ваня с четырнадцати лет жил и учился в Лозанне, дочка Соня ходила во французский лицей на Чистых прудах. Жизнь как-то крутилась вокруг французского языка, так что выбор Парижа казался естественным, а наше с Лешей расставание не было ни болезненным, ни трудным. К тому же официального разрыва не произошло — мы оставались друзьями, близкими людьми, коллегами-журналистами и родителями-партнерами. Ну да, живем в разных странах. Но вроде всё равно семья. И когда я осторожно спросила своего начальника "А можно в Париж?", он решил, что это вопрос воссоединения семьи. Но в действительности это был вопрос про любовь — на сей раз про любовь к Парижу. Ведь я знала, что к Леше не вернусь — ни в Париже, ни в Москве. С его отъездом я испытала облегчение, эйфорическую свободу, счастье одиночества и радость независимости. Но одиночество продлилось недолго — появился мой новый Сережа.

И возвращение к мужу стало уж совсем невозможным. Иванчик, после всего, что случилось между тобой и мной восемнадцать лет назад, я не могу врать или что-то скрывать, слишком хорошо помню, как это было и к чему привело.

Теперь я хожу по Парижу с "Богемой" Азнавура в наушниках, не понимая, в кого влюблена — в Париж, в Сережу или по-прежнему в тебя. Леша живет в другом районе — около Люксембургского сада, в трехэтажной крошечной квартирке, выходящей в собственный садик. Мучительно переживает наш разрыв и мой роман — но это отдельная история, здесь ей не место.

Голова у меня всё время кружится — то ли от парижского воздуха, то ли от бессонницы. Каждый раз, выходя из своего дома на Марсовом поле (я живу на Марсовом поле!), я вижу Эйфелеву башню и хочу себя ущипнуть, чтобы поверить в то, что это правда. Я так хочу поделиться с тобой моим Парижем, моей квартирой, моей башней, которую зажигают по вечерам, как новогоднюю елку. Вот Понт-Нёф — помню, как мы вместе смотрели "Любовников Нового моста". А на этом бульваре дю Тампль снимали "Детей райка". А вот под этим мостом Бир-Хакейм — в двух шагах от моего дома — неистово орали Брандо и Мария Шнайдер в "Последнем танго в Париже". А вот тут, на Елисейских полях, Джин Сиберг продавала *New York Herald Tribune*. Мы с Сережей недавно ходили на ее могилу на кладбище Монпарнас (там и твой любимый Генсбур). Могила была усыпала окурками и билетиками на метро. И еще там лежала мокрая от дождя газета. (Я до сих пор повсюду покупаю тельняшки — такие же, как носила героиня Сиберг.) Наверное, ты всё это

пережил, когда был здесь. Но ты был без меня, я —
без тебя. Нашего с тобой Парижа не случилось.

У меня здесь впервые за много лет возникло ощущение,
что вдруг получится начать жизнь сначала, жить настоящим, перестать хвататься за прошлое. Ведь моя новая
влюбленность совпала с переездом в Париж.

Я опять слышу твой голос:

— Подожди, Иванчик, ты же сказала, что парень
возвращается в свою Африку.

Ну да, сказала. Он пытался уехать, но скоро рванулся ко мне в Париж — сначала один раз, потом
другой, третий. Расстаться оказалось не так просто.

Он ведь тоже Сережа.

14.

Как же мне тебя не хватает! Сегодня я показывала Сереже "Пепел и алмаз". Твой "Пепел и алмаз". Горячо рассказывала про Цибульского — восточно-европейского Джеймса Дина, "с его пластикой танцора рок-н-ролла и близорукими глазами интеллектуала за темными очками гангстера". Что-то объясняла, про тебя и про всех бунтовщиков без причины сразу. Мой мальчик минут двадцать смотрел "Пепел..." серьезно и внимательно, потом стал целовать меня в шею, потом и вовсе развернул от экрана и начал возиться с пуговицами на шелковой блузке. Потом сказал:

— Это, наверное, хороший фильм, он совершенно нам не мешал.

И — в ответ на мою молчаливую обиду:

— Про Цибульского и рок-н-ролл я всё понял, но ведь смотреть это сейчас невозможно, да?

И я за "Пепел и алмаз" никак не вступилась. Теперь у меня какое-то дурацкое чувство, что я тебя предала.

Я так и не поняла, с кем занималась любовью под звуки польской речи и стрекот автомата.

15.

В каком бешеном угаре разворачивался наш роман!
Без этого угара нам, наверное, было бы не вырваться
из предыдущих отношений — у обоих они были запу-
танными. С Катей вы жили в разных квартирах и цере-
монно обращались друг к другу на "вы" — мне это
всегда казалось фальшивым. Почему вы жили отдельно — я не знала и знать не хотела. Вероятно, так было
"круче", вы гордились своей свободой и своими необыч-
ными отношениями. Но часто оставались друг у друга
ночевать. А у Марковича была усталого вида религиоз-
ная жена с тремя детьми — странным образом я никогда
не хотела, чтобы он ушел из семьи, несмотря на нашу
пятилетнюю связь и мою глубокую одержимость им
и его идеями (точнее, идеями Розанова — Шестова —
Леонтьева). Он снимал комнату в огромной коммунал-
ке на улице Герцена, куда я поднималась по заплеванной
лестнице со всё нарастающей тоской.

Сейчас с новым Сережей мне хочется побыстрей
закончить разговоры и начать обниматься. А с Марковичем хотелось побыстрей закончить с объятиями
и начать говорить.

Маркович был чудовищно ревнив, чувствовал, что
я ускользаю — не физически, внутренне. Я перестала
безоговорочно верить во всё, что он говорит. Более того —

мне стало с ним скучно, а скука — верный признак смерти любви. Я только что прочла у тебя слова одного шведского критика о том, что в бергмановском "Лете с Моникой" никто не умирает, кроме любви. Наша любовь с ним умирала, он это знал, бесился и неистовствовал. То есть бесился и неистовствовал он все пять лет, я всегда боялась и за него, и за себя. Боялась, что он что-то сделает с собой (он угрожал многократно) или со мной (был куплен и продемонстрирован настоящий пистолет). Но стоило мне влюбиться в тебя, как страх рассеялся. Раньше мне казалось, что я в клетке, что вырваться мне не удастся. За те годы, что мы были вместе, Маркович душил меня, таскал за волосы, в буквальном смысле бился головой о стену, царапал в кровь лицо. И вдруг оказалось, что это всё химера, фикция. Клетка не заперта, угрозы эфемерны. Надо просто открыть дверь и выйти. Никто не покончит с собой, никто не сможет меня задержать. Я знаю, куда и к кому я иду.

Ты меня к Марковичу всегда сильно ревновал. Ревность к прошлому — едва ли не самая острая, теперь я это знаю. Ревнуешь не к мимолетному сегодняшнему вниманию и даже не к постели. Ревнуешь к тем чувствам, которые когда-то были отданы другому.

— Не смей сравнивать меня с ним! — говорил ты. Разве я сравнивала? Не помню. Я его уже совсем не любила, но не смогла (или не захотела) тебе это объяснить. Когда ты увидел меня с ним на фотографиях, ты весь передернулся:

— У тебя с ним тут такое счастливое лицо.

Недавно Сережа увидел наши с тобой фотографии:

— У тебя с ним тут такие счастливые глаза.

Ну вот. А Леша говорит, что у меня счастливая улыбка, если рядом Сережа.

В тот единственный раз, когда вы встретились с Марковичем, вы друг другу понравились. Ты сказал, едва ворочая пьяным языком:

— Он настоящий мужик, да?

А Маркович — про тебя:

— Он — живой.

В его устах это был главный комплимент.

Наше с тобой любовное безумие продолжалось всё лето. Однажды мы пришли вместе на день рождения одной студентки-театроведки, поразив ее воображение нашим странным союзом. Я с восторгом читала тогда "Манифест сюрреализма" Бретона, мы с тобой немедленно решили трактовать его в духе бытового беспредела, и на этом дне рождения я бессовестно объела с магазинного торта весь арахис, размокший в масляном креме. Пощечина буржуазному вкусу, авангардистская выходка! Именинница растерянно смотрела на лысый торт, ты испуганно смотрел на меня и быстро начал петь с какой-то блондинкой, которая играла на пианино и бесстыдно с тобой кокетничала. Я немедленно отстранилась. Как это у меня получалось быть такой спокойной и не ревновать тебя? Сейчас бы, конечно, не смогла. Вскоре я равнодушно и незаметно уехала домой.

На следующее утро ты позвонил в дверь моей квартиры на улице Замшина и бросился в мои объятия с комическим стоном:

— Недоё-ё-ё...!

Я расхохоталась и обняла тебя. Ты начал целовать меня прямо в прихожей. Ты не просил прощения, ничего не объяснял, а я ни о чем не спрашивала и совсем не сердилась.

Это был последний раз, когда мы откуда-то уходили врозь.

16.

21 апреля 2013

Привет-привет, мой Иванчик! Начало нашей любви было похоже на хеппенинг — вполне в духе твоих ранних студийных экспериментов (ты поставил эпатажный спектакль "Революция"). Однажды я приехала к тебе в квартиру на Наличной. Ты не ждал меня, писал картины, был перемазан маслом, просиял, как ребенок, увидев меня в дверях. Мы занимались любовью, едко пахло краской. Потом переодели меня в серый костюм твоего отца (брюки были мне коротки), приклеили усы, спрятали волосы под кепку, подложили живот, чтобы замаскировать грудь, и отправились гулять. Зашли в магазин, купили в киоске сигареты (я старалась говорить басом), выпили кофе в кафе у залива, целовались взасос. Окружающие с ужасом на нас оглядывались, а мы хохотали как ненормальные. Тебе нравились гендерные игры, ты подписывал свои ранние статьи именем Ольги Лепестковой и фотографировался в женском образе в светлом кудрявом парике — еще до Владика Мамышева-Монро. Выглядело очень убедительно — привет Боуи! Когда мы вернулись домой, ты, вытаскивая тряпки из-под мешковатого пиджака, шептал мне на ухо:

— У вас ус отклеился.

Тем же летом ты снимал меня на старомодную ручную камеру:

— Это будет архетипическое кино под названием "Девчонка с причала". Половина фильмов сделана про девчонку с причала, знаешь?

Ты спрягал "с причала" как глагол и хохотал:

— Девчонка спричала, мальчишка спричал, мы с тобой спричали.

Ты заставлял меня идти вдоль залива, бежал передо мной с камерой и кричал, что я со своим печальным лицом и длинной юбкой, развевающейся на ветру, похожа на женщину французского лейтенанта. В те минуты я чувствовала себя совершенно счастливой. Ты как будто занимался со мной любовью — при помощи этой примитивной камеры. Камера не отделяла нас друг от друга, как в вышедшем тогда вуайерском фильме "Секс, ложь и видео" или как у героя Жан-Пьера Лео в "Последнем танго в Париже". Камера нас сближала, связывала, превращала в одно целое. Делала наш союз не только любовным, но и творческим. Тогда я не отдавала себе в этом отчет. Просто чувствовала, что то, что происходит между нами, острее и, может быть, даже важнее, чем секс.

Ты часто повторял фразу Годара, что кино показывает только любовные истории. За несколько месяцев до смерти на лекции во ВГИКе ты сказал: "«На последнем дыхании» — один из самых концептуальных фильмов XX века, потому что он показывает, что можно всё. В кино можно всё. У Годара есть совершенно замечательная формула: «В кино можно всё, главное — любовь». Если вы любите что-то или кого-то, значит, можно снимать о чем угодно, это всё равно никуда не спрячешь".

И ты, обычно такой строгий к словам, трижды повторил: "Можно всё, можно всё, можно всё".

Этот черно-белый фильм, "Девчонку с причала", ты смонтировал и озвучил. Добавил туда кадры, где я, юная и веселая, что-то ем на твоей кухне, привычно придерживая длинные волосы, чтобы они не попали в тарелку. Где сейчас этот маленький фильм — не представляю. Может, валяется где-то на осыпавшейся видеокассете. "Девчонка с причала" была самым щемящим на свете объяснением в любви. А я с тех пор так и осталась для тебя девчонкой.

— А где моя девчонка? — спрашивал ты, когда искал меня. — Кто-нибудь видел мою девчонку?

Знал ли ты, что первый фильм, в котором на экране появился Джеймс Дин, назывался "Кто-нибудь видел мою девчонку?" (*Has anybody seen my gal*)? Едва ли знал, хотя фильм и снял любимец французской новой волны Дуглас Сёрк, хорошо тебе известный. Но ты каким-то шестым чувством угадывал скрытые сплетения твоих синефантомов. Я только недавно посмотрела эту картину, у Дина там одна реплика, его имени даже в титрах нет, но не запомнить этого капризного и надломленного мальчика невозможно, хотя он там всего лишь просит какое-то особенное мороженое — и я его тоже часто просила! Девчонка из названия, впрочем, не имеет к Дину отношения. Девчонка — из прелестной песни двадцатых годов, под которую там весело отплясывают:

Could she love, could she woo,
Could she love, could she coo,
Has anybody seen my gal?

Причал мы постепенно забыли. Говорят, что за несколько секунд до смерти ты произнес:

— Моя девчонка ко мне уже не вернется.

17.

Сегодня вспомнила кругленькую кудрявую Карлу Бони,
парижского фотографа итальянского происхождения,
которая приехала в Питер делать фоторепортаж
о параллельном кино. Тогда на каждого иностранца
бросались с жадным любопытством, и ты немедленно
закружил Карлу в нашем хороводе. Мы таскали ее за
собой по разным местам и гостям, чем-то поили и кормили, она снимала нас вместе. На одном из ее снимков
мы сидим на Ломоносовском мосту на Фонтанке,
у меня в руках кассета с "Синим бархатом" Линча.
"Синий бархат" стал одним из фильмов, сопровождаю-
щих нашу любовь. Мы оба были заворожены линчев-
ской эстетикой, кислотными цветами,
сюрреалистическим темным миром, где обитали хариз-
матические демоны — Деннис Хоппер и Изабелла Росселлини. Мы написали вдвоем несколько статей про
Линча, одну из них — "Суд Линча" — для "Сеанса".
Про Линча мы обязательно хотели писать вдвоем, это
был наш общий и наш личный опыт. Тогда, кроме
"Синего бархата", вышло сразу несколько фильмов
в жанре, который ты называл "яппи в опасности" или
"яппи в стране чудес" — "После работы" Скорсезе,
"Нечто дикое" Демме, "Тщетные поиски Сьюзен"

Зейдельман, "В ночь" Лэндиса, "Френтик" Полански.
Всё это были истории про чинных американцев, проваливающихся в зазеркалье и заново открывающих мир, опасность, любовь и самих себя. Ты называл это зазеркалье беспределом. Ты любил жонглировать блатными словечками, но это слово произносил и воспринимал без иронии. Беспредел. Нечто без пределов, без границ, без барьеров. Или — бес пределов.

В наших головах линчевский мир рифмовался с тем, что происходило с нами. Нас завораживала угрожающая атмосфера его фильмов: мы пересмотрели их все — от "Головы-ластика" до "Человека-слона". "Страх рождается уже не оттого, что трудно постигнуть объективный критерий, но оттого, что такового критерия нет" (это ты — о "Синем бархате").

Помню, как мы смотрели "Синий бархат" с тобой и с моей однокурсницей — дело было в театральном музее. В сцене, где Деннис Хоппер что-то нюхает и заставляет Изабеллу Росселлини раздвигать ноги, а потом бросается на нее, истерически дергаясь, мы с подругой стали восклицать:

— Какой мужчина!

Ты поглядывал на нас скептически, а потом не выдержал:

— Да он просто импотент, неужели вам, дурочкам, не понятно!

На фотографии Карлы я одета по-дурацки — тогда я плохо понимала, что мне нужно носить. На мне сиреневый хлопковый комбинезон с широкими штанинами, поверх — черный с сиреневым свитер с треугольным вырезом, связанный моей мамой. То есть я помню, что он был черный с сиреневым, на черно-белом снимке этого, конечно, не видно.

Вечно я надевала что-то безразмерное, уверенная, что надо скрывать отсутствие тонкой талии и округлой попы. Ты одет, как всегда, безупречно — хорошо сидящие джинсы, узкого кроя рубашка. У тебя было идеальное чувство стиля, ты умел одеваться и отлично знал, что тебе идет. Мог раскопать нужную тебе вещь в груде обносков в комиссионке. Или найти на вешалке в магазине ровно ту куртку, которая сидела на тебе как влитая. Сам гладил рубашки, стирал джинсы и чистил зубной пастой белые кроссовки.

Мне нравилось, когда ты носил пиджаки и плащи — это добавляло тебе серьезности и нормальности. Хотя лучше всего ты выглядел именно в джинсах, коротких кожанках, светлых узких рубашках — в том, что подчеркивало невесомость твоей изящной фигуры. Но я была дурой, Иванчик, не понимала, что эта джеймсдиновская аура тебе необходима. Сейчас я выбросила бы твой темно-серый твидовый пиджак, который так любила (плечи были шире, чем нужно, конечно), спрятала бы подальше бежевый плащ (он был хоть и вполне богартовский, но по-бандитски длинный) и позволила бы тебе быть бунтовщиком без причины. Ну что поделаешь — твоя юность казалась мне опасной. Мне хотелось выстроить вокруг тебя — и себя — солидный взрослый мир, не чреватый скверными соблазнами. В то же время мы сами столько наговорили и написали про то, как легко провалиться в зазеркалье, прорвав иллюзорную поверхность буржуазности и респектабельности.

Моего Сержу мне тоже постоянно хочется переодеть. Я, может быть напрасно, считаю, что изменилась и готова принять и уважать чужой выбор и чужой вкус (ведь не чужой же!). Сережа одевался как типичный айтишник — клетчатые рубахи, безразмерные кофты и футболки, бесформенные ботинки и джинсы на размер больше. Я научила его носить белые футболки, белые рубашки, белые кеды и узкие темные пиджаки — униформа, которая всегда оказывается беспроигрышной. Он, надо сказать, сопротивлялся, защищая не столько свое презрение к одежде (его тут нет), сколько свою гордость и свою самостоятельность.

Ты, конечно, сейчас сказал бы:

— Иванчик, оставь парня в покое!

18.

Я вчера не дописала про Карлу. А сегодня, заглянув в мини-бар токийского *Park Hyatt* (я здесь *lost in translation*, но Билла Мюррея пока не видно), вспомнила, как она угощала нас орешками из "Березки". Я дрожала от этих диковинных соленых орешков и шутливо обещала тебе исполнить за них любое сексуальное желание, чем ты, впрочем, так и не воспользовался, хотя орешки мне исправно доставлял. Мое обещание, однако, с удовольствием вспоминал и махал жестяными банками перед моим носом: "Ну и когда?"

В голодную зиму 1990–1991 годов Карла посылала нам консервы и упоительно вкусные супы из шампиньонов и шпината в пакетиках. Летом девяносто первого года я получила от нее приглашение в Париж. Так что благодаря ей я впервые оказалась во Франции.

Когда я пришла в большой собственный дом Карлы в Бельвиле, двери мне открыла хрупкая блондинка.

— И давно вы тут живете? — спросила я, не имея ни малейшего понятия о том, кто она такая.

— *Toujour*, — ответила Мари-Лор, подруга Карлы, мило улыбнувшись. В 1991 году для меня, зашоренной советской девицы, стало шоком, что Карла — лесбиянка.

В ее доме я встретила еще одну лесбийскую пару — двух коротко стриженных мужеподобных американок, кажется, их звали Арлин и Шарлин. В первый же парижский вечер ты позвонил Карле на домашний номер, и я, захлебываясь, рассказывала тебе, что тут — такое! И всё повторяла:

— Лесбиянки!

Вдруг до меня дошло, что слово "лесбиянки" на всех языках звучит одинаково и что они, эти лесбиянки, меня прекрасно слышат и понимают. А ты строго наказал:

— Береги свою девичью честь, Иванчик.

И добавил довлатовское:

— Надька, взбл...нешь — убью!

Мать Карлы, статная богатая итальянка, водила нас в японский ресторан, где я впервые в жизни попробовала суши. Меня тогда чуть не стошнило, доесть их я не смогла. Второй раз мы попробовали суши вместе с тобой и Брашинским в Нью-Йорке — с тем же рвотным эффектом. А сейчас я дрожу от любой сырой рыбы и в промышленных количествах ем всевозможные карпаччо и тартары.

Недавно я наткнулась на статью про Карлу и Мари-Лор в *L'Humanité*. Оказывается, у них три девочки — Жюльетта, Луана и Зелина. Мари-Лор их выносила и родила, Карла удочерила. Они стали чуть ли не первой французской гей-парой, которая это проделала легально. До сих пор живут вместе, в том же двадцатом округе, борются за права геев. Стоит их найти? Наверное, это совсем не трудно. Я, кажется, даже помню, где именно расположен их чудесный дом на тихой зеленой улице. Помню метро с прелестным названием — *Mairie des Lilas*. Вдруг у Карлы (ты называл ее Карлуша) чудом сохранились негативы двадцатилетней давности? Она столько снимала нас вместе — а у меня так мало наших общих фотографий.

Знает ли она, что тебя больше нет?

19.

27 апреля 2013

Почему нам так понравилась "Черная роза — эмблема печали..."? Мы посмотрели ее летом 1990 года в кинотеатре "Колизей" на Невском. Сейчас этот фильм едва ли не официально считают неудачей. А тогда мы много смеялись и с удовольствием повторяли словечки и фразочки оттуда. Ты восхищался Збруевым и его брутальной репликой "Только не надо мне вертеть вола!". С тех пор мы вертели этого вола на все лады.

— Не надо мне вертеть вола! — то и дело кричали мы друг другу. Вол жил с нами до моего бегства в Москву. Ты написал трогательную картину "Верчение вола", я повесила ее у себя в комнате и улыбалась всякий раз, когда на нее смотрела. Забавный человечек вертел на веревке какого-то шагаловского вола. Я в ответ слепила его фигурку из глины, а вместо веревки использовала проволоку. Мне всегда нравилось лепить и у меня получалось; иногда думаю, что могла бы стать скульптором (ты сейчас обязательно вспомнил бы Изабель Аджани в роли одержимой Камиллы Клодель). Эта маленькая скульптурка тебе ужасно нравилась, ты считал ее нашим талисманом. Когда я уходила от тебя, то почему-то взяла ее с собой в Москву. Почти ничего больше не взяла, даже одежду оставила.

Талисман скоро вернулся в Питер, к тебе на могилу. Приехала я одна, с грудью, переполненной молоком, — в Москве остался мой месячный сын Иван. Положила нашего маленького вола за серый могильный камень, присыпала землей, чтобы никто его не увидел. Мне казалось, что я тебя слышу, что ты уговариваешь меня перестать наконец плакать. И что я отвечаю тебе:

— Только не надо мне вертеть вола!

20.

29 апреля 2013

Когда мы с тобой начали жить вместе? В сентябре, в октябре? Помню, что была осень. Закончилось жаркое лето, схлынуло безумие. Я ушла от Марковича, ты — от Кати. Удивительно: всё получилось просто и естественно, без драм и скандалов, как будто по-другому и быть не могло. Родителей мы просто поставили перед фактом. Моя подруга Ира Татарова (сейчас она католический теософ и живет в Польше, а тогда была в тебя влюблена, ты это знал?) сдала нам однокомнатную крохотную квартиру в блочной хрущевской пятиэтажке на Черной речке, на последнем этаже без лифта.

Это был переходный период — между безумием и спокойствием. Мы сказали друг другу: "Я люблю тебя", — и нам больше нечего было бояться. Не надо было оглушать себя алкоголем, чтобы друг до друга дотронуться. Мы одновременно прочитали "Палисандрию" Саши Соколова и вытащили оттуда детское словечко "потягуси", которым с тех пор называли занятия любовью. Жизнь стала успокаиваться, дышать всё ровнее, больше не требовала допингов. И да — мы перестали пить.

Иванчик, сейчас я сижу в своей огромной парижской квартире с окнами до пола и готова всё на свете отдать, чтобы хоть на один день перенестись с тобой в шестиметровую обшарпанную кухню. Каждая следующая моя квартира была больше и богаче предыдущей. И в каждой — обратно пропорционально — я была всё менее и менее счастлива.

А в той убогой хрущевке мы и вправду были счастливы.

21

3 мая 2013

Иван, привет! Ты терпеть не мог говорить про
алкоголь. А теперь я могу говорить сколько угодно —
и ты меня больше не остановишь. Это был такой слон
в комнате, постоянный страх и постоянная угроза.
Я написала, что страхи прошли, но это неправда,
конечно. Страх так и не прошел — ни у меня, ни
у тебя. И ты в конце концов сорвался.

Чуть меньше года назад я стала ходить к психоаналитику: эти еженедельные визиты длились несколько месяцев — до моего отъезда в Париж. Я знаю, знаю,
что ты мог бы про это сказать. Но мне это помогло,
правда. Например, с булимией я почти справилась.
Впрочем, для тебя это пустые слова: когда мы жили
с тобой, булимии у меня не было, она всегда нападает
в отсутствие любви. Так вот, мой психоаналитик,
с которой я много обсуждала тебя (прости, прости),
сказала, что твоя жизнь в завязке не могла закончиться
иначе, как срывом. Тот, кто на самом деле бросил пить,
может время от времени спокойно выпивать. А вот тот,
кто запретил себе даже притрагиваться к рюмке, — тот
непременно сорвется, и вариантов тут нет.

Ты знал, что я боялась твоего пьянства, о котором
ходили легенды. Алкоголь менял твою личность, ты

становился жестоким, резким, почти агрессивным. Как будто в тебя вселялся кто-то другой. Не случайно в твоем мире было выделено специальное место для Джекила и Хайда. Когда ты срывался, жизнь оборачивалась кошмаром. Однажды я сказала тебе, трезвому, что пьяный ты — это вовсе не ты, а какой-то оборотень, Волк, Чужой. Ты ответил:

— Мамочка всегда говорила мне то же самое. И теми же словами.

Иногда я думаю, что приступы такой агрессии могли быть вызваны не алкоголем, а тяжелыми наркотиками, о присутствии которых в твоей жизни я не подозревала. Ни один фильм о наркотиках после твоей смерти я не досмотрела, мне физически становилось дурно. До сих пор не видела *Trainspotting*, не дотянула до финала "Реквиема по мечте". Недавно решила наконец посмотреть "Марцефаль", снятый по твоему сценарию, попросила Сергея Кальварского прислать мне фильм. Начала — и опять не осилила. Сюрреалистическая комедия с клиповой эстетикой девяностых и неоновыми цветами показалась мне фильмом ужасов. Меня больно задело, как профессионально и с медицинским знанием дела ты описал приходы и ломки. Наверное, таким же экспертным взглядом ты когда-то оценивал "Иглу", с которой слезал Цой в фильме Нугманова. Мы сидели в зале рядом, но я ничего не заметила, не почувствовала. Не потому, что была такой наивной. Я не хотела знать.

Только несколько месяцев назад я заставила себя прочесть что-то про марцефаль. Теперь хотя бы знаю, что марцефаль меняет человека, провоцирует грубость и резкость.

В твоей статье про Тарантино возникает "подколотый урка", муза кино является в мир нюхнуть за компанию с режиссером, который на кокаиновом приходе путает курок с кнопкой ускоренной перемотки. И все эти навороты образов — в коротеньком тексте. Автор явно неплохо изучил предмет. Недавно собралась с духом и спросила Брашинского: "Был ли героин, когда была я?" Он ответил: "С иглы полностью слезть нельзя. Но он тебя не обманывал. Если он и срывался, то раз в год, не чаще. Может быть, раз в два года. И только когда тебя не было в городе. Он очень тебя берег. И себя — для тебя".

Угрозу я видела только в алкоголе. Первые годы вместе казались мне почти безопасными. Ты не пил, не говорил об этом, и я совсем не чувствовала, что ты скучаешь по своим пьяным эскападам. Однако мифология русского пьянства тебя по-прежнему волновала. Ты нашел для нее отличную формулу — "сберегший традицию совести в сгустке похмельного стыда" (это про Веничку, которого ты обожал). Я не пускала на порог и люто ненавидела твоих друзей — наркоманов и алкоголиков вроде закадычного приятеля Вилли. Но он в конце концов победил: именно Вилли был с тобой в момент твоей смерти. Ты, кстати, упомянул его в "Марцефале". Там герой Михаила Ефремова рассказывает, откуда взялось питерское словечко "бошетунмай", и приписывает его твоему обожаемому Вилли.

Став твоей женой, я тоже почти не пила. Да и зачем? Жизнь с тобой была наполнена внутренней энергией такой силы, что взбадривать себя мне было ни к чему. Мне вообще ничего особенного было не нужно. У меня почти ничего не было — но у меня было всё. Ты любил повторять: "Жизнь — это то, что проживается". Я кивала, но не понимала, уверенная в том, что просто жить такой полной жизнью и просто любить такой пульсирующей любовью — недостаточно, нужно еще чего-то добиться, еще что-то ухватить.

Мой Сережа до встречи со мной почти не пил. Удивительно, да? Дожил до тридцати трех лет — и ни разу не был в хлам пьяным, не блевал над унитазом, не творил глупостей, не мучился похмельным стыдом.

— Словом, парень не жил, — сказал бы ты.

Он не только не пьет, он и не курит. Не любит даже кофе, а из допингов пробовал только голландские грибы (отдельно расскажу эту историю). Ну то есть что-то он пил — пиво там, просекко, рюмку-другую водки иногда, бокал вина на вечеринках. Но в целом ему это не нужно и не интересно. В первую ночь у меня дома мы выпили, наверное, бутылки три — сначала шампанского, потом белого вина, потом, кажется, еще и розового. Сережа пил вино отчаянно, как будто вино было волшебным зельем, которое позволит ему преодолеть страх и до меня дотронуться. А я пила, чтобы исчезла пропасть между нами и чтобы оказаться там, где можно всё. Можно всё. Можно всё.

Потом мы с ним всё время пили. Для того чтобы оставаться вместе, нужно было ввести себя в состояние транса. Он полюбил шампанское, быстро научился отличать хорошее от плохого, а очень хорошее от просто хорошего. Он вообще оказался отличным учеником, впитывал всё как губка и при этом имел о многом собственное мнение, изменить которое мне иногда хотелось, но редко удавалось. К бордо я его так и не приучила, он предпочитал более легкое и более тонкое бургундское. С тобой мы никакого бордо не пили.

Вино вообще пили мало, да и какое вино тогда было? "Медвежья кровь"? "Южная ночь"? "Алиготе"? "Монастырская изба"? Что-то сладкое и крепленое. Родительская кислятина из дачной черноплодной рябины. Приличное красное вино появилось в магазинах за год до моего отъезда в Москву. Это было болгарское каберне, недорогое и приятное. Именно его мы и пили с Лешей в самом начале нашего романа, пока он уверенно не перевел меня на французское.

Ты сейчас спросил бы про Сережу:

— А тебе есть о чем с ним пить?

Ну да, это же Веничкина фраза: "Мне с тобой не о чем пить".

Не будем снобами, ладно? Во-первых, я никогда не видела его по-настоящему пьяным. Пьянела я, а он оставался собой. Во-вторых, да, мне есть о чем с ним пить. Я ведь писала тебе, что открываю новый мир — чужой, непонятный, устроенный по другим законам. Вот только не знаю, возможен ли этот роман без хмельного головокружения?

Но я знаю одно — пока Сережин мир мне интересен, я его люблю.

22.

Вспоминала сегодня наше первое появление вместе
в профессиональной тусовке. Киноведческий семинар
в репинском доме творчества кинематографистов.
Я и раньше бывала в Репине на зимних каникулах,
любила это место, встретила там когда-то много людей,
с которыми продолжала общаться: Диму Месхиева,
Киру Сурикову, Наташу Токареву. Но сейчас я ехала
туда не просто в качестве твоей девушки, но и как
аспирантка, молодой критик. Тебе предстояло выступить
с анализом "Чапаева", а мне — "Цирка". Я обожала
"Цирк" Александрова, и мы вместе проделали совершенно хулиганский его разбор. Позже по мотивам
своего репинского выступления я написала статью
в "Искусство кино".

Моя речь вышла такой дерзкой, что кто-то из
пожилых киноведов подавал возмущенные реплики,
особенно когда советскую пушку из "Полета в страто-
сферу" я сравнивала с членом. Ты сидел в зале, страшно
нервничал и ерзал, готовый в любой момент броситься
мне на помощь. Но уже тогда я умела справляться
с любой аудиторией — чтение лекций давалось легко
и доставляло мне удовольствие. Я удачно парировала
строгие выкрики. К тому же за меня опять вступился

Яков Борисович Иоскевич, сказав с места, что это блестящее выступление и тонкий структуралистский анализ фильма. Когда я закончила и спустилась к тебе в зал, ты взял меня за руку и бросал на всех гордые взгляды: "Как вам моя девчонка?"

Именно там я впервые увидела Любу Аркус. Конечно, я о ней много слышала — и от тебя, и от других. Люба только что сделала первый номер "Сеанса", который все жарко обсуждали. Поразительно: вокруг "Сеанса" собрались те, кто много значил и еще будет значить в моей жизни — Ира и Леша Тархановы, Таня Москвина, Миша Трофименков, Лена и Андрей Плаховы, позже — Паша Гершензон и Элла Липпа. А ты, погруженный по уши в наш роман, оказался вне этого круга. Сначала не пришел на первую редколлегию, потом не сдал в срок статью. Да и к журналу отнесся скептически: дизайн казался тебе претенциозным, компания — разношерстной, Люба — слишком страстной. Только много позже я поняла, что слишком страстным главный редактор быть не может и что Любина страстность создала, спасла и удержала журнал. ("К чему вся одаренность без страсти и воли?" — спрашивала Цветаева.)

Люба была глубоко обижена тем, что ты игнорируешь "Сеанс", но, как все пассионарии, готова была немедленно простить, принять, обнять и полюбить пуще прежнего. Ты, конечно, был самым талантливым кинокритиком в Питере — да и в Москве, если не считать Тимофеевского, который тогда много писал о кино. Но ты не был автором ее "Сеанса". Как такое могло случиться? На меня Люба смотрела настороженным ревнивым взглядом человека, у которого отняли что-то, что по праву должно принадлежать только ему. "На кого ты меня променял?" Кажется, именно в Репине вы договорились, что в "Сеанс" ты все-таки будешь вовлечен, войдешь в редколлегию и всё такое.

Люба была хорошенькая, плотная, но не казалась полной, с большими зелеными глазами за очками, которые она снимала в моменты, когда хотела произвести впечатление на мужчин. Одета была в джинсы и яркую зеленую кофту, темные волосы заплетала в две детские косички — помню, эти косички меня удивили. В Любе горел огонь. Меня, болезненно застенчивую, для которой разговор с любым малознакомым человеком был пыткой, поразило, как легко она общается с известными людьми — без всякой дистанции, как равная с равными. Во-первых, по праву своей редкостной витальности. Во-вторых, исходя из уверенности, что делает лучший в мире журнал о кино. В зале Люба сидела рядом с Алексеем Германом, который казался мне небожителем, и болтала с ним так небрежно, будто была самым важным человеком в его жизни. Ты тоже так умел, но тебе это давалось внутренним усилием, свою легкость ты талантливо имитировал. Люба умела и любить, и ненавидеть — и, если ты попадал в поток ее любви, скрываться или сопротивляться было бесполезно. И так же бурно она могла перейти от любви к ненависти. Я запомнила, с каким простодушным детским счастьем она смотрела "Графа Монте-Кристо" с Жаном Маре, которого показывали в репинском кинозале. Мы с тобой тоже туда пошли, но до конца не досидели.

Между работой и жизнью Люба ставила знак равенства. "Сеанс" для нее был не просто журналом, а семьей, миссией, сектой, образом жизни, включавшим пьяные посиделки до утра, пение советских песен, разговоры о главном в густом сигаретном дыму. Ты не умел растворяться в групповом экстазе, опасался любого кликушества, держал прохладную дистанцию между дружбой и профессией. Наверное, во времена студии "На подоконнике" ты прошел этот юношеский этап группового единения, но там ты был творцом и движущей силой коллективного духа.

А здесь — кем-то другим. Конечно, ты, привыкший всегда и везде быть в центре внимания, не мог этого выдержать и предпочитал вовсе оставаться в стороне. К этому моменту ты уже совсем не пил, что не способствовало экстатическому слиянию. Так что, даже будучи вовлеченным в дела "Сеанса", ты оставался чужим, скользил по поверхности, умело изображая то восторженную наивность, то профессорскую сухость, то бесшабашную веселость — словом, то, что в данный момент нужно было Любе. Тебя слегка раздражало, что Люба хотела наполнить журнал до краев обнаженными эмоциями, тебе казалось, что эссеистика "Сеанса" балансирует на грани дурного вкуса. Но Люба, конечно, была права. Время требовало именно такого журнала — по-женски страстного, не похожего ни на академическое "Искусство кино", ни на глянцевый "Экран". Эмоции через край вместо сухого анализа. Пафос, усмиренный черно-белым авангардным дизайном (за дизайн отвечала Ира Тарханова, жена моего будущего мужа Леши, вот так у нас всё переплелось). Большой формат, матовая бумага, неизбитая лексика, эссе вместо рецензий, манифесты вместо передовиц. Люба любила сравнивать "Сеанс" с *Cahiers Du Cinema*. Сходство если и было, то только в том, что оба журнала выразили свое взбунтовавшееся время.

Не помню, кто первый назвал Любу "маманей" — прозвище, которое за ней закрепилось. Наверное, это все-таки был ты.

— Маманя — бандерша, — говорил ты.

И в этом было столько же восхищения, сколько и легкой брезгливости. Ты шутливо называл ее "Рыба моя!", маманя млела и хохотала, как филин. Когда мы стали общаться чаще, хитрая Люба быстро поняла, что наложить на тебя лапы легче всего, подобравшись ко мне, и стала называть меня "маманя маленькая" — в знак нашего душевного родства и в противовес себе, "мамане большой". Тебя это страшно раздражало:

— Какая ты, на фиг, маманя, Иванчик?

23.

5 мая 2013

Привет, Иван! В нашей паре ты был большим
Иваном, а я — маленьким, несмотря на то, что
я была выше тебя. Но тебе нравилось, когда я называла тебя большим Иваном. И ты, конечно, был для
меня таким огромным! И — светлым, легким, ласковым. Куда ушли надменность и поза, которые раньше
так пугали меня? Начало нашей совместной жизни
совпало с наступлением голодных осени и зимы
1990–1991 годов. Мы как-то со стороны наблюдали,
как из магазинов стремительно исчезают продукты.
Последними остались болгарские консервы под
названием "Славянская трапеза" — из них на пустых
полках выстраивали огромные пирамиды. Мы прикончили немало этих трапез. Открывая очередную
банку, ты вздыхал: "Съешь меня, и я вернусь".
Потом исчезли и они. Нам выдавали карточки, но
за продуктами надо было стоять в длиннющих
очередях, чего никто из нас делать не мог. Карточки,
чтобы не пропадали, забирали родители, покупали
на них макароны, муку, маргарин, сахар — и почти
всё отдавали нам.

Ты по тем временам неплохо зарабатывал, метался
по каким-то видеосалонам, которые открывались

повсюду. Своих видеомагнитофонов почти ни у кого не было, у нас в том числе. В салонах показывали всё что угодно — от "Калигулы" до "Амаркорда", от "Греческой смоковницы" до "Великолепной семерки". Народ, изголодавшийся по западным картинам, валом валил на всё. За салонами пристально следили власти, опасаясь порнографии и всякого тлетворного влияния. Прокатчики нашли выход — перед фильмом вставляли видеозапись вступительного слова киноведа, объясняющего художественный смысл данного произведения. Ты это делал виртуозно, почти без подготовки, артистично создавая ощущение серьезной академической подоплеки — что, собственно, и требовалось. Платили отлично — кажется, 50 рублей за каждую запись. Моя повышенная аспирантская стипендия была 120 рублей.

На эти деньги ты покупал на рынке сало, картошку и лук — наша любимая еда в ту зиму. Это было удивительно вкусно, особенно если в сале попадались мясные прожилки. Из муки и маргарина, добытых по талонам нашими мамами, я научилась печь слоеные пироги — то с капустой, то с картошкой. И еще мы варили макароны и делали к ним примитивный соус — жаренный на растительном масле репчатый лук. Лука было много, и получалось совсем неплохо.

К зиме в кооперативных ларьках появились какие-то фрукты. Я жить не могла без фруктов, и ты тратил кучу денег на огромные яблоки "Голден". Они продавались не везде, и ты рыскал по ларькам в поисках "желтых с точечками". Красные яблоки сорта "Джонатан" найти было легче, но разве можно сравнить! Ты победно приносил желтые яблоки домой и умилялся моей радости.

Эту голодную зиму все вспоминают как жуткую, а мы никакого голода не заметили. Были счастливы, никогда не ссорились, много смеялись.

Каждый день мы жадно исследовали души друг друга, а каждую ночь не менее жадно исследовали тела.

24

6 мая 2013

В начале весны я торжественно принесла домой
драгоценный кусок сыра. Отстояла за ним длинную
очередь в одном из первых в городе кооперативных
магазинов на улице Пестеля. Сыра мы не видели
больше года. Он стоил 150 рублей килограмм.
То ли российский, то ли пошехонский. Я купила,
наверное, грамм 250, потратив едва ли не треть
моей стипендии. На сыр мы пригласили твоих
родителей — это и в самом деле было нечто
необыкновенное. Твоя мама подносила кусочек
к носу, вдыхала и говорила:

— Есть жалко, но хоть понюхать.

В мае или июне на Невском продавали бананы —
по 50 рублей за штуку. Люди стояли рядом, растерян-
ные. Вроде бы такая экзотическая редкость — бананы,
надо брать. Но за такие деньги! Я отчаянно купила
один банан — для тебя. Это было моим способом
объясниться тебе в любви. И ты это понял. Ты увидел
меня в дверях с бананом и даже растерялся:

— Иванчик, неужели ты это для меня купил?

Включил музыку и самозабвенно плясал с бананом
в руке по всей квартире. А потом почти весь скормил
мне маленькими кусочками.

В ларьках на Московском вокзале иногда появлялось черносмородиновое мороженое в бумажных стаканчиках. Ты знал, как я его любила, и бегал туда по два раза в день, чтобы проверить — не завезли ли?

Не так давно я рассказала Линде Велс, главному редактору американского журнала *Allure*, как ты купил мне духи *Climat*. Она была так растрогана этой историей, что описала ее в письме редактора. Ты там фигурируешь как *Karina's husband*.

Духи всегда были моей манией, магической формулой мечты, надеждой на чудо, заключенной в маленький пузырек. А *Climat*, которые когда-то мой отец подарил моей маме, казались самым прекрасным запахом на свете. Тебе нравился не столько запах (к запахам ты был равнодушен), сколько дизайн коробки и флакона: "Посмотри, это же чистейшее ар-деко!"

На углу Невского и Караванной открылся тогда магазин *Lancôme* — невероятное по тем временам событие. В витринах — лицо музы Линча Изабеллы Росселлини с красной помадой на губах, внутри — невиданные заморские сокровища. Чтобы туда войти, нужно было стоять в сорокинской многочасовой очереди, писать на руке номер, приходить на перекличку. Говорили, что здесь продаются духи *Climat* — за бешеные деньги, конечно, но кто считает, когда речь идет о мечте!

Я не то чтобы их просила — я о них мечтала. Вслух. Тебе этого было достаточно. Не знаю, отстоял ли ты лютой январской ночью очередь на углу Невского, договорился ли с кем-то, чтобы тебя пропустили быстрее, или просто заплатил спекулянту втридорога. Ты не посвящал меня в детали. Просто принес заветный голубой флакон, заставив пережить острое мгновение счастья. И сам был счастлив — кажется, даже больше меня.

Год назад знаменитый французский парфюмер Франсис Куркджан сделал специально для меня именные духи — в единственном экземпляре. Их создание напоминало сеанс психоанализа. Я рассказывала ему о запахах моего детства и о запахе нашего с тобой *Climat*. В конце концов он прислал мне флакон бутылочного стекла, напоминавший старинный аптечный. Флакон был украшен надписью — "*Karina D*". Казалось бы, вот оно! Моя мечта, воплощенная в душистой формуле, моя душа, заключенная в склянку. И ни у кого в целом мире нет ничего подобного. И названы эти духи в мою честь! Я смотрела на зеленый флакон, вдыхала тонкий аромат — и ничего не чувствовала.

Безумно жаль, что мы потеряли способность радоваться и получать удовольствие от простых вещей. Ты часто говорил о кино, которое надо осязать. О кино на ощупь. Жизнь мы тоже тогда пробовали на ощупь, на вкус, на запах, будто открывая ее заново. Неземной вкус банана. *Blow up* на большом экране кинотеатра "Спартак". Терпкий и свежий вкус киви. Рассказы Довлатова в таллинском журнале "Радуга". Жирнющее финское мороженое "Ятис" с клубничным джемом и шоколадом на дне вафельного рожка. "Горькие слезы Петры фон Кант" в Доме кино. Хруст мюсли с изюмом. Итальянские туфли на шпильках в "Пассаже" на Невском. Приторный "Сникерс" с жареным арахисом и кокосовый "Баунти" — райское наслаждение. Книжка "Хичкок / Трюффо" на русском языке, пусть даже и без неотделимых от нее картинок. Нежнейший шампунь *Head&Shoulders* — ну и что, что от перхоти, зато с кондиционером в одном флаконе. "Мифологии" Ролана Барта — философия, которая читалась как детектив. Блестящие нейлоновые лосины из кооперативного ларька. "Проклятие Дейнов" Дэшила Хэммета — детектив, который читался как философия. Драгоценная склянка головокружительных французских духов. Всё вызывало чувственную дрожь, восторженный захлеб. Счастье было легким, естественным и таким близким — на расстоянии вытянутой руки.

Наутро после того, как ты подарил мне *Climat*, я проснулась с ощущением, что в моей жизни случилось что-то потрясающее. Что? Что? Я лежала в постели рядом с тобой (ну то есть на диване, конечно, мы все тогда спали на шатких раскладных диванах) и вдруг почувствовала едва уловимый запах духов на своей (или уже на твоей?) коже. И я физически ощутила, какое же это счастье.

Ну что теперь может меня так обрадовать?

25.

Привет, Иванчик! Мы с тобой почти никогда
не обсуждали наши отношения и почти не говорили
о нашей любви. Да и что было обсуждать? Быть вместе
было так же естественно, как дышать или есть. Мы
никак не могли наговориться, не могли оторваться
друг от друга, мы всё делали вместе, смотрели одни
и те же фильмы, читали одни и те же книги, вырывая
друг у друга (они хлынули к нам — от Чандлера до
Довлатова). По нескольку раз в неделю ходили в Дом
кино, принимали гостей на кухне — чай с хлебом
и вареньем (моя мама снабжала, варила из дачных ягод)
считался неплохим угощением. Я, измочаленная
Марковичем, не предполагала, что семейная жизнь
может быть такой легкой и такой радостной. Быта мы
не замечали, общими усилиями с ним справлялись —
домработниц, разумеется, тогда ни у кого не было.
Я не была хорошей хозяйкой, убирать и мыть посуду
терпеть не могла, зато любила готовить. Пытаюсь
сейчас вспомнить, что именно я готовила во времена,
когда и продуктов-то никаких не было. Что-то
придумывала. Когда в магазинах появилось заморо-
женное слоеное тесто с диковинными названиями
"круассан" и "турновер", я его размораживала

и начиняла — яблоками, луком, рисом, картошкой.
Получалось вкусно, тебе нравилось. Варила крестьян-
ский гороховый суп — разумеется, без мяса и без
копченостей (какие копчености, откуда?), но с сырым
луком и нерафинированным подсолнечным маслом.
Причем масло и лук надо было добавлять, уже выклю-
чив огонь. До сих пор считаю, что этот суп был замечательным, я и сейчас бы от него не отказалась. Другой
суп — из кисломолочного сырка с овощами (его научила
меня делать Люба Аркус) — тоже отличная штука!
И крохотные овощные пиццы из кабачков, помидоров
и сыра. А уж сколько мы съели картошки во всех видах
(как в фильме "Девчата" — картофель фри, картофель
пай). А сколько яиц! До появления хлопьев завтрак всегда
состоял из яиц — вареных или жареных. "Матка,
яйки!" — приговаривал ты, вытаскивая очередное яйцо
из холодильника, и уморительно голосил на мотив песни
"Маки, маки, красные маки, горькая память земли":

— Яйки, яйки, красные яйки, били по ним
сапогом! В них теперь развиваются спа-а-айки...

Ты любил мясо и страдал от его отсутствия. Перед
новым годом я купила на уличном лотке страшный
обледенелый кусок говяжьей вырезки и сделала
в праздничную ночь "мясо по-французски" — распро-
страненный деликатес эпохи. Мясо надо было отбить,
посыпать тертым сыром, залить майонезом и запечь
в духовке. Сейчас содрогаюсь от одного воспоминания,
а тогда казалось: шикарно! Уже после твоей смерти
Брашинский привел меня в маленькое кооперативное
кафе в подвале на улице Правды, сказал, что ты часто
приходил сюда в последний год, тебя тут любили,
жарили твою обожаемую свинину. Я обрадовалась,
что ты поел вволю мяса. Тебе его так не хватало.

Наверное, я мыла полы, как-то там пылесосила, протирала, но совсем этого не помню. Посуда и стирка доставались тебе, ты кипятил белье в огромной кастрюле (стиральная машина появилась позже), размешивая его длинной деревянной палкой от швабры. Разумеется, устраивал из этого целое представление, изображая то ведьму из "Русалочки", то индейца с копьем, то танец с шестом.

Мне кажется, что за всю нашу совместную жизнь мы произнесли "я люблю тебя" всего несколько раз. Почему? Боялись эти слова обесценить? Боялись открытых чувств? Или это было и так ясно, без слов? Ты редко говорил о любви в придаточных предложениях, вроде безопасного: "Ты ведь знаешь, что я люблю тебя". К тому же ты всегда посмеивался, если кто-то хотел поговорить "про любовь, про отношения". Именно так, через запятую, с легкой усмешкой, ты это и произносил.

И писал ты о любви совсем мало. Зато много — о смерти. Хотя вот нашла у тебя про кино, "которое столько раз показывало жизнь, смерть, любовь и измену. Но так никого и не научило жить, умирать или избегать предательства". Ты специально пропустил глагол "любить"? То есть любить — научило? Умирать и избегать предательства — не научило, конечно. И тебе ли этого не знать.

Мой Сережа любит говорить о чувствах, копаться в них, разбирать эти самые отношения по косточкам. В первую же ночь мы пообещали друг другу не влюбляться, но уже через две недели сказали "самое главное". Мне сейчас так нравится этот любовный лепет, я смакую каждое слово — даже если и не всегда чувствую то, что говорю. Как будто, если я произнесу эти слова много раз, что-то и в самом деле проснется, вспыхнет, оживет. Мне больше совсем не жалко слов! Почему я их так берегла с тобой, Иванчик? Почему не говорила тебе этого каждый день? Почему не целовала тебя сотни раз, как целую моего нового Сережу? Казалось, впереди столько лет, куда спешить? А теперь надо спешить, ведь у меня нет иллюзий по поводу будущего с Сережей. В нашей с ним истории не умрет никто, кроме любви.

Я возвращаюсь вечером с работы, целую его, и он, обнимая меня своими огромными руками, спрашивает, совсем по-детски:

— Ты всё еще любишь меня? Не разлюбила?

— Господи, я же только утром тебе говорила, что люблю.

— А вдруг, я же не знаю...

— Люблю, люблю.

Откуда эта потребность говорить "люблю"? Столько нежных слов скопилось за много лет!

Ты же знаешь, я всё еще люблю тебя. Не разлюбила.

26.

Почему мы почти не говорили о твоей жене?
Я не знала, как и где вы познакомились. Не знала,
как долго вы прожили вместе. Не знала, как вы
влюбились, как расстались, как ты сказал ей о том,
что уходишь. Почему не знала? Ты ведь ответил бы,
если б я спросила? Но срабатывала самозащита:
я оберегала себя от боли. Или была слишком само-
любива? Глупая, сколько бы всего я сейчас спросила.
У Сережи расспрашиваю бесконечно — про весь его
небогатый опыт, — и он охотно отвечает.
Вообще-то не уверена, что ты так же охотно бы
отвечал. Про свою первую любовь, одноклассницу
с короткой шеей, ты вспоминал коротко и иронично.
А я и знать не хотела. Зачем?

   Я слышала, что у Кати был выкидыш, — но не уверена, что именно ты мне об этом рассказал. Перед
нашим первым совместным с тобой Новым годом
я узнала, как тяжело она переживает твой уход. Мы
были с тобой в квартире на Черной Речке, я, кажется,
что-то готовила, накрывала на стол. Раздался телефонный звонок, подошла я. Это была Катя. В ней всегда
было что-то темно-восточное, пугающее. А в этот раз
она говорила каким-то чужим загробным голосом.

Произнесла в мой адрес дежурные проклятия, а потом глухо добавила:

— И у вас будут рождаться мертвые дети.

Я повесила трубку, вся дрожа, села на диван, закрыла лицо руками. Ты бросился ко мне, отнимал руки от лица, целовал, пытался успокоить. Ринулся к телефону и кричал в трубку:

— Катерина! Если вы еще раз!..

Еще не раз мне пришлось вспомнить эти Катины слова.

27

10 мая 2013

Иван! Ты о многом мне не рассказывал, да? Например, о том, как ты служил в армии. Почему-то я не спрашивала. А может, и спрашивала, но ты от разговора уклонялся. Сказал однажды:

— Я выжил там за счет не лучших своих качеств. Лучше тебе об этом не знать.

В письме девяносто пятого года Лёньке Попову в армию ты пишешь: "О новостях спрашиваю осторожно. Помню, будучи в Вашем положении, на подобные вопросы отвечал однозначно: сегодня к обеду была картошка против вчерашней каши".

Ты говорил, что выживал в армии за счет своего умения рисовать — делал дедам шикарные дембельские альбомы, за что они тебя щадили и защищали. До встречи со мной ты много занимался живописью. При мне — разве что делал какие-то смешные комиксы, несколько раз рисовал меня, клеил коллажи — но всё это только в первый год нашей жизни.

Ты знал, что твои картины мне не нравятся, никогда о них не заговаривал, не показывал их. Живопись исчезла из твоей жизни, как исчез из нее, например, Тимур Новиков, которого ты уважал и за Новой Академией которого ты следил. После твоей смерти родители сдали твои работы в фонды Русского музея. Сейчас мне стыдно, что не интересовалась, не спрашивала, не поощряла... Упивалась своей правдой, не имела веры. Сережа недавно сравнил меня с директором школы, который чуть что — врежет по соплям. Наверное, ты тоже чувствовал что-то подобное.

Твои армейские друзья иногда появлялись в нашей жизни — кто-то присылал посылку с яблоками, кто-то заходил в гости, будучи проездом в Ленинграде. Простые парни, к которым ты относился с неизменной нежностью.

Пытаюсь представить тебя — с твоим маленьким ростом, нежными чертами лица, умными печальными голубыми глазами — в армии. И не могу. Впрочем, знаю, что там тебе помог (тебя спас?) твой артистизм. Дмитрий Светозаров, снявший тебя в фильме "Без мундира" в роли сына главного героя, обыграл превращение юного длинноволосого истерика-наркомана в бритого новобранца, которого заставляют петь хором песню про калину. И в том, с каким истерическим отчаянием ты поешь эту песню, прочитывается всё, что с твоим героем будет. А будет только кромешный ужас.

Потому что ты не умел, не хотел, не мог петь хором.

28.

Ты знал, что я готова была тебя слушать часами?
Я, у которой явный дефицит внимания, которая готова
перебивать других, забыв про вежливость, которая
умеет заинтересованно кивать, думая при этом о чем-
то своем. Мой новый Сережа часто обижается, что
я его не слушаю или ему не отвечаю. Но иногда мне
действительно нечего сказать. Он не умеет вовлечь
меня в разговор, может ни с того ни с сего рассказать
дурацкий анекдот, говорит штампами, не считывает
культурных ассоциаций, не узнает цитат. Когда он
что-то рассказывает, я часто думаю, как бы рассказывал
ты, — и страшно тоскую по нашим с тобой разговорам.

Наверное, я слишком много молчу с Сережей.
Он сердится:

— Ну ты хоть как-то реагируй! Хоть из вежливости. А то я даже не понимаю, слушаешь ли ты меня.

— Как ты хочешь, чтобы я реагировала?

— Ну скажи хотя бы "угу".

— Угу.

Вот и поговорили. Может быть, потому я так
часто его целую.

Но ты! Ты был гениальным рассказчиком
и фантастическим собеседником. Ты умел доставать

из самого закомплексованного партнера мысли и шутки, цеплять их за свои, превращая разговор в блестящий взаимный фейерверк, погружать всё происходящее в культурный контекст — озвучить цитатой, разыграть сценку из фильма, спеть музыкальную фразу. Ты не произносил банальностей, пустых реплик. Не рассказывал анекдотов не к месту. Когда я думаю о рецепте удачного брака, мне кажется, что вот это он и есть — должно быть всегда интересно. Ну, и комический дар, конечно. Здесь тебе равных не было. Так жаль, что я не могу это передать, ведь твой юмор вплелся в ткань повседневной жизни. Я никогда так много не смеялась, как с тобой. Самое простое бытовое действие оборачивалось мини-спектаклем. Если ты ставил мне банки (а ты свято верил в банки и горчичники), процедура превращалась то в факельное шествие, то в пляску шамана, то в глотание пламени, то в бег с олимпийским огнем. Если ты опалял курицу над газовой горелкой, то мог закричать голосом Чуриковой — Жанны д'Арк: "Дайте мне крест!" Если мыл пол, то танцевал, как Фред Астер, приговаривая вслед за своим армейским сержантом: "А ну-ка взял и вымыл так быстро, чтоб я удивился". Сегодня почему-то вспомнила, как ты определял степень безумия (сдвинутости крыши) окружающих нас людей. Строилась эта классификация вокруг поезда (а как же без Люмьеров?). Тот, кто был вменяемым, но уже обнаруживал опасные симптомы, — купил билет. Слегка свихнувшийся — сел в поезд. Тот, кто подходил под диагноз, — от поезда отстал. Ну а законченный безумец — сошел на дальней станции. Удивительно, какое количество людей укладывалось в эту очень кинематографичную и простую метафору, а ты каждый раз расцвечивал ее новыми красками. Кто-то задумался о покупке билета, кто-то рванул стоп-кран, кто-то съел билет, кто-то спрыгнул с подножки в снег, ну а кто-то пошел по вагонам с гитарой и с песней "Синий троллейбус".

Расставшись с тобой, я машинально продолжала думать про многих окружающих меня персонажей: "Уже купил билет". Но больше некому было подхватить эту чудную игру, устроить вокруг этого железнодорожного билета новое "Прибытие поезда".

Никогда я не говорила тебе, как мне было с тобой интересно.

29.

12 мая 2013

Почему-то я совсем не помню, как и когда ты развелся
с Катей. Это, должно быть, вышло стремительно.
Летом мы поцеловались, осенью начали жить вместе,
а ранней весной уже поженились. После нового года,
наверное, ты получил развод, и мы подали заявление.
Ждать надо было два месяца — и ты пришел в ярость.
Ты ужасно торопился, нервничал, боялся, что я пере-
думаю. Я на самом деле нервничала и боялась не меньше тебя, но умело это скрывала. Никто не знал, что
мы собираемся расписаться, даже родители. Почему
мы никого не посвятили в наши планы — понятия не
имею! К весне мы переехали в огромную, метров под
девяносто, трехкомнатную квартиру на 2-й Советской,
которую нам сдали за смешные деньги. Окна выходили
во двор-колодец, а ванна стояла в кухне, рядом
с кухонным столом. По утрам по ее пожелтевшей
поверхности ползали огромные бурые тараканы,
с которыми мы сражались, скатывая шарики из яичного
желтка и порошковой отравы. Но это было такой ерун-
дой по сравнению с тем, что мы жили в пяти минутах
от Московского вокзала в доме начала девятнадцатого
века, в просторной квартире с высоченными потолками,
дубовым паркетом, длинным коридором и сортиром

размером с маленькую комнату, где унитаз был установлен на каком-то постаменте — ты называл его троном. Всё это казалось нам невероятной роскошью, подарком судьбы. В квартире не было холодильника, и Костя Мурзенко притащил карликовый "Морозко", достающий мне до колен, — при тогдашнем дефиците продуктов нам его вполне хватало.

Мы поженились шестнадцатого марта. Накануне купили обручальное кольцо — кольца продавали только по специальной бумажке в единственном в городе магазине, неподалеку от Смольного. На два кольца денег не хватало, взяли одно, для меня, — тоненькое, золотое, самое дешевое. Мне не терпелось надеть его, что я и сделала, не дожидаясь свадьбы. Колечко сидело как влитое, и я себе страшно нравилась в роли замужней женщины. Вечером я принимала душ в нашей тараканьей ванне и с ужасом обнаружила, что кольца нет. Решила, что оно соскользнуло с руки и провалилось в сливное отверстие. Жуткий знак? И как я буду завтра без кольца? Я заревела белугой, ты прибежал из гостиной, стал ковыряться в сливе, растерянно утешал меня — типа черт с ним, с кольцом. Проревев полночи, я успокоилась, а наутро нашла кольцо в банной варежке-мочалке. Счастье вернулось, дурное предчувствие меня отпустило.

В тот субботний день в 9:30 утра я читала лекцию на Моховой одному из актерских курсов. Мои лекции часто назначали на самые ранние часы, потому что считалось, что студенты ко мне хорошо ходят. У многих педагогов утренние лекции срывались — мало кто из будущих актеров или режиссеров был способен явиться в институт к 9:30. Но ко мне приходили. Помню, что я была в черных брюках и широкой черной кофте китайского кроя, волосы убраны назад, на ногах — какие-то дурацкие темно-синие сапоги без каблука (с обувью тогда была полная катастрофа). Ты должен был встретить меня после лекции — на кафедре, но стоял под дверью в коридоре, страшно нервничал и даже заглядывал в аудиторию:

— Ты скоро?

Мы помчались в ЗАГС на Арсенальной набережной, и какая-то тетка с халой на голове и морковной помадой на губах расписала нас, сопроводив процедуру дежурным текстом про ячейку общества. Ты волновался — до последнего боялся, что я сбегу. Попросил "Халу" не включать свадебный марш и не говорить речь — сами видите, свидетелей нет, цветов нет, невеста в черном, жених хоть и в пиджаке, но ниже ее ростом, кольцо — одно на двоих. Эти тетки преследовали нас повсюду, как обломки империи. Были среди них и такие, кого ты называл "Галантерейной секцией", особо противные. "Рыбный отдел или Галантерейная секция?" — спрашивали мы друг друга, когда надо было охарактеризовать очередную тетку. Ты предпочитал честную и вонючую "рыбу". На отсутствие марша "Галантерейная секция" согласилась, на отсутствие речи — нет. Произнесла ее в сокращенном варианте, глядя на нас холодным равнодушным взглядом. Кольцо ты надевал дрожащей рукой, но справился. А потом тетка сказала:

— Молодые, поцелуйте друг друга.

Я хотела сделать ритуальный чмок, но неожиданно ты стал целоваться всерьез. Для тебя это было важно? Иванчик, а вдруг ты жалел, что настоящей свадьбы не было? Ни фаты, ни белого платья, ни пьяной драки, ни жениха мордой в салат? (Одна из твоих фразочек: "Всё, что вы видите за этим столом, сделано руками жениха".) Почему мы никому ничего не сказали и никого не позвали? Чего боялись? Сглазить? Ранить Катю? Когда через шесть с лишним лет я выходила замуж за Лешу Тарханова, всё было точно так же — без свидетелей, без колец, без цветов, без гостей и без марша. Правда, в наличии был огромный живот — восьмой месяц беременности. Но тогда было понятно, почему мы делаем это так тихо, — я не хотела причинять тебе боль.

Ровно через месяц после моей второй свадьбы тебя не стало.

30.

18 мая 2013

Вечером в день нашей свадьбы мы пошли в Дом кино.
А куда же еще идти отмечать? Это было время
непрерывных банкетов и фуршетов, которые устраивались для своих перед премьерами. Туда просачивались специально, чтобы поесть и выпить на халяву.
Помню, как ты восторгался немыслимой пизанской
башней из еды, которую выстроил на своей небольшой
тарелке один московский кинокритик.

— Посмотри, он умудрился даже прошить ее
креветками на зубочистках. Талант!

Удивлялся умению Мишки Трофименкова незаметно спрятать бутылку за занавеску в начале банкета,
чтобы неожиданно, подобно фокуснику, достать ее
в конце, когда всё было уже выпито и съедено.

Конечно, в Доме кино ты был своим, и мы ходили
на все премьерные банкеты, хотя ты не выпивал ни
капли. Тебя обожали тамошние тетушки. Перед
фильмами тебя часто просили выступить, сказать
несколько слов, представить группу и т.д. Ты делал это
спокойно, уверенно, с юмором, с достоинством.
Я всегда волновалась, видя, как твоя маленькая фигурка
поднимается на большую сцену и как ты наклоняешь
микрофон, чтобы до него дотянуться. Но когда ты

спускался в зал и садился рядом с немым вопросом: "Ну как?", — я никогда не говорила: "Здорово! Отлично!". Не обнимала тебя, не брала за руку. В лучшем случае пожимала плечами: "Да всё нормально". Почему, почему я не могла поцеловать тебя и сказать: "Я тобой горжусь"?

Я ведь так гордилась тобой, правда. Чувствовал ли ты это?

31.

Почему мы никому не говорили, что собираемся пожениться? Даже моих родителей мы просто поставили перед фактом — в день свадьбы. Шока не было, ведь мы с тобой уже полгода жили вместе. Мама обожала тебя, была счастлива, что из моей жизни исчез Маркович, а про твое бешеное алкогольное прошлое почти не знала. Зато знала, что ты сдуваешь с меня пылинки, часто выходишь на сцену в Доме кино, читаешь лекции и умеешь очаровать пожилых женщин.

Мы сообщили сенсационную новость всем знакомым, которых встретили в тот день. Ты сиял от счастья: "Моя девчонка!" И я внутренне сияла, но считала правильным сохранять царственное достоинство — дура, дура, дура. Сергей Николаевич недавно написал мне, что, впервые увидев нас вместе в репинской столовке, подумал, что, "наверное, так выглядели когда-то Пушкин и Наталья Николаевна. Притягательный и непрочный союз напряженного одухотворенного ума и любезно-равнодушной красоты".

Любезно-равнодушной! С ума сойти! Мне-то кажется, что я никогда не была с тобой любезно-равнодушной. Да я вся дрожала изнутри — от неуверенности и волнения! Так вот, оказывается, как это выглядело со стороны! Еще он вспомнил, как встретил нас однажды в гостях у Любы: "И как он кружил вокруг тебя, как предлагал то сок, то воду, а ты на него почти не глядела. И к томатному соку, который он принес, так и не прикоснулась. Я так отчетливо помню полный красный стакан в твоей руке".

Большого Сережу я часто держу за руку, отвечаю на каждый его взгляд, обнимаю при всех, целую, повторяю разные слова про его талант, тонкость, интуицию. Что мне скрывать и зачем себя сдерживать? А с тобой всё время что-то берегла и охраняла. Нам так крепко с детства вбивали в голову, что девушка должна быть гордой, никогда не делать первый шаг, первой не звонить, не проявлять инициативы, изображать холодность и равнодушие. Это была по-советски строгая школа манипуляции, притворства, маневров, раз и навсегда установленных лицемерных правил. "Я не такая, я жду трамвая" — девиз моей юности. Вооруженные им, многие советские девушки лишались искренности, радости и непосредственности в выражении своих чувств.

Слышу твой голос:

— Иванчик, ты только там со своей ново-обретенной непосредственностью не теряй головы. Не теряй достоинства, ладно?

Ты сейчас напомнил бы мне "Римскую весну миссис Стоун" с Вивьен Ли. Не так давно "Римскую весну" сняли с Хелен Миррен. Ли, как всегда, играет душевную хрупкость, увядание красоты, обреченную женщину "без кожи". А вот у Миррен получилось про потерю достоинства, про унизительность старения. Еще ты, наверное, вспомнил бы "Театр" Моэма. Думаю, недавний фильм Иштвана Сабо тебе бы не понравился, хотя, впервые увидев Аннетт Бенинг в "Багси", ты сразу сказал, что в ней есть дьявольский огонек — да, и он в "Театре" по-прежнему горит. Так жаль, что не разделить с тобой "Скандальный дневник" и "Чтеца", в каждом есть что-то очень пронзительное о любви взрослой женщины к мальчику.

— Блюди себя, — сказал бы ты мне.

Не волнуйся.

Я и хотела бы совсем себя потерять. Но разве ты мне позволишь, Иванчик?

32.

Как ты мог оставить своих родителей! Я до сих пор вижусь с ними. Стараюсь помогать им, но помогаю меньше, чем могу и чем должна. Больше деньгами, чем душевной энергией, — ее-то у меня кот наплакал. Сережа помог было мне ее обрести, но он же половину и поглотил.

Ты нежно любил родителей, волновался за них. Недавно твой папа потерял и второго сына — твоего сводного брата Сашу, с ним ты близок не был, но всегда его уважал. Он умер от рака, умирал тяжело. Представить себе чувства Николая Петровича не могу — пережить двоих сыновей... Впрочем, пережить смерть единственного обожаемого сына, как Елена Яковлевна... Нет, не могу. Не могу даже думать об этом.

Язык отказывается это фиксировать: в нем есть слово "сирота" — для того, кто потерял мать или отца. Но для названия того, кто потерял ребенка, никакого слова нет.

Ты был хорошим сыном, хотя твоей маме пришлось пройти через твои чудовищные запои, которых она панически боялась, из которых тебя вытаскивала — иногда вместе с Катей, иногда — одна. Меня твои родители любили. Со мной ты перестал пить, я разогнала "плохую компанию". Но в то же время относились с некоторой опаской — я отняла тебя у всех, в том числе и у них.

С твоими родителями я познакомилась на следующий день после свадьбы — они пришли к нам в гости на 2-ю Советскую. Я испекла блины, какое-то жалкое порошковое творчество: мука, порошок вместо молока, порошок вместо яиц. Жарила наверняка на маргариноподобном мягком масле *Rama*, про которое говорили: "Мама ела раму". Блины запивали чаем с дачным клубничным вареньем-пятиминуткой. Я убрала назад волосы — мне казалось, что таким образом я выгляжу строже и солидней. Надела юбку с белой блузкой, застегнула ее под горло. Ты волновался, был чрезмерно оживлен, много шутил. Мама шепотом сказала тебе в коридоре:

— Кариша такая красивая. Только она слишком красивая.

Ты произнес это самое "слишком", когда впервые меня поцеловал. Рядом с вами, такими маленькими, чуть испуганными, я почувствовала себя огромной белой женщиной. Это было почти приятно — как будто я ощутила над вами особую власть.

Я ревновала тебя к твоей маме. А к кому еще мне было тебя ревновать? Сейчас я ненавижу себя за это. Но тогда просто ревновала к тому, что твою любовь приходится делить с кем-то еще. Они хотели, чтобы у нас с тобой всё получилось — нормальная семья, хорошая квартира, дети. И чтоб ты не пил, и чтобы всё было как у людей.

Через год или полтора твои родители разменяли свою просторную светлую трешку у залива (ту самую, где мы переодевали меня в мужской костюм и занимались любовью) на две квартиры на одной улице — 15-й и 16-й линии Васильевского острова. Обе квартиры были на первом этаже. Наша, однокомнатная, — в добротном сталинском доме на углу с Большим проспектом, а их — сырая полуподвальная — в старом дворовом флигеле. Твоя мама хотела жить рядом с тобой и пользовалась любой возможностью, чтобы заглянуть к нам. Я была с ней вежлива, но скорее просто терпела ее ежедневное внимание. Сыт ли ты? Не надо ли что-то купить? А может, постирать? Почему не заходите на чай? Попробуете печенье по новому рецепту? Она была открытая, проницательная, болезненно справедливая, жалостливая, умная, щедрая. Всё это было и в тебе, но ты маскировал это иронией, артистизмом. Ты мог ласково назвать ее "мамочка", но тут же добавить, как герой Кэри Гранта в "Севере через северо-запад": "Мне надо позвонить мамочке". Это "позвонить мамочке" процитировали Гайдай с Мироновым в "Бриллиантовой руке", и ты эту фразу иногда повторял не по-кэригрантовски, а по-мироновски, заплетающимся языком.

Один на один мы прекрасно ладили с Еленой Яковлевной и болтали часами. Как только появлялся ты, мы внутренне начинали за тебя сражаться. Только через много лет после твоей смерти я поняла, что Елена Яковлевна была блокадницей. Когда я писала своих "Блокадных девочек", то включила туда ее воспоминания. До войны она была самой высокой в классе, а в блокаду перестала расти. Она была уверена, что ты не вырос тоже из-за блокады, как будто блокада была твоей родовой травмой.

Елена Яковлевна мечтала стать бабушкой.

Она надеялась, что у нас скоро будет ребенок.

33.

27 мая 2013

Смотрели бы мы с тобой сейчас сериалы? Конечно,
а как же! Залпом проглотили бы *Homeland* — причем
смотрели бы его подряд, до глубокой ночи. Мы запали
бы на "24" — смотрели бы взахлеб, сезонами. *Breaking
Bad*. Ну конечно. *Mad men*? О да! Доктор Хаус? Ой,
не знаю, но Хью Лори ты оценил бы, конечно. Может
быть, носил бы футболку с надписью *It is not lupus* или
Everybody lies, я привезла бы ее тебе из Нью-Йорка.
"Подпольную империю" ты смотрел бы без меня, зато
с "Аббатством Даунтон" оставил бы меня наедине.

Ты писал бы о том, как мутируют сериалы, как
они вытесняют собой кино, как изменилась в них роль
автора. Как сериалы, растягивая время, всё больше
теряют экранную иллюзорность и всё больше приближаются к реальности. Как и все мы тогда, ты любил
повторять слова Кокто о том, что "кино показывает
смерть за работой". Недавно Трофименков прочел
лекцию, в которой назвал эту фразу красивой бессмыс-
лицей: если речь идет о разрушительной работе времени, тогда любое искусство так или иначе эту работу
показывает, при чем тут, собственно, кино? Но для
тебя это были не пустые слова. В одной из своих
последних лекций ты сказал: "Время — механистическое,

тяжелое время экрана — это время физического небытия". И добавил: "Смерть — это реальное время экрана. Реальное время экрана — это как бы реальное время смерти". Сериалы, растягивающиеся на годы, сделали текущее время еще более осязаемым, хотя и куда более прозаичным. "Разница между кино и телевидением, — говорил Годар, — в том, что в кино ты поднимаешь голову, и актеры больше тебя, а когда смотришь телевизор, голову опускаешь, и актеры меньше нас". Сериалы мы смотрим не с поднятой, а с опущенной головой, смотрим сверху вниз, а не снизу вверх, как смотрели на магический киноэкран.

Когда мы начинали жить вместе, по телевизору показывали "Санта-Барбару" и "Рабыню Изауру", которыми упивалась вся страна. Мы нечасто включали телевизор, но какие-то серии ты смотрел с любопытством, тебя интересовала конструкция и сам социальный феномен сериала, когда страдания латиноамериканской рабыни неожиданно оказывались созвучными переживаниям замученных советских женщин. Ты со смехом рассказывал про заседания кафедры, которые превращались в обсуждение того, как по-скотски повел себя Мейсон с Джулией и как жестоко Иден бросила Круза. Иногда ты разговаривал со мной какими-то обрывками сериальных реплик: "Ты так ничего и не поняла, Марисабель"; "Зачем ты так, Луис Альберто?" (это уже, кажется, "Богатые тоже плачут"). Тебя забавляло, как герои, говоря по телефону, неизменно прибавляют: "Я люблю тебя". Или как русские переводчики переводят: "Ты же знаешь, что я всегда здесь для тебя". Однажды ты, далекий от всякой политики и экономики, решил, что ваучер — это какой-то новый персонаж "Санта-Барбары". Как и вся страна, мы смотрели

113

"Спрута", и ты, снимая телефонную трубку, сухо говорил: *"Pronto!"* И, как будто пробуя слова на вкус, произносил: "А также Флоринда Болкан в роли графини". Через года два появился *Twin Peaks*, который нас заворожил. Но это были все-таки совсем другие сериалы, не те, которые мы смотрим сейчас. Которые весь мир смотрит сейчас. Ох, сколько же всего мы с тобой открыли бы вместе, Иванчик.

Мне больно, когда я смотрю фильмы, о которых точно знаю, что они тебя бы зацепили. "Убить Билла", "Бесславные ублюдки", "Кинг-Конг", "Крадущийся тигр, затаившийся дракон", *Oldboy*, "Гран Торино", "Лабиринт фавна", "Белая лента", телевизионный британский "Шерлок", мультики Миядзаки — я пишу первое, что приходит в голову. Перечитала список, который могу бесконечно продолжать, и поняла, что выбрала фильмы, где есть игра или с жанром, или с киномифологией, а чаще — и с тем, и с другим. Все-таки ты любил в кино эту азартную игру. Про *Inception* ты сказал бы, что Нолану фатально не хватает юмора, "Матрицу" счел бы претенциозной фальшивкой, во "Властелине колец" полюбил бы только Горлума, зато увлекся бы третьим, куароновским "Гарри Поттером".

Черт, как обидно, как же мне обидно, что я не могу всё это разделить с тобой.

34.

Ты обрадовался бы, если бы узнал, что до сих пор
я каждый день смотрю кино? Вот он, единственный
наркотик, на который ты меня подсадил, Иванчик.
"Именно кино, доступное и ускользающее, как
потаскуха Лола, наивное и деловитое, как Мария
Браун, величественное и жалкое, как Вероника Фосс,
ничтожное и высокое, страшное и манящее, как сама
жизнь, кино со всеми его мифами, обманами, причу-
дами и капризами было главной тайной его существо-
вания, его самым сильным наркотиком и самой
постоянной привязанностью" (так ты писал
о Фассбиндере).

В Доме кино, куда мы ходили как на работу, ты
приучил меня сидеть в первом ряду.

— Настоящий зритель всегда должен сидеть
в первом ряду. Он должен пытаться сократить дистанцию
между собой и экраном, — говорил ты. Ложился
в кресло, закидывал голову, вытягивал ноги — и улетал.
Твой главный спарринг-партнер во всем, что касалось
кино, Миша Брашинский однажды поразил меня тем,
что, устроившись — так же, как ты — в первом ряду,
страстно, почти как в постели, прошептал:

— Господи, Каришонок, как же я люблю кино...

Ты не раз говорил, что в самой идее кино есть что-то религиозное. Твое выражение — "храмовая тишина кинотеатра". Сходную мысль я встретила у Бунюэля: из театра люди выходят оживленными, переговариваясь друг с другом, а из кинотеатра — молча, глядя в землю. А еще кто-то, кажется Антониони, писал, что в кинозале люди сидят, воздев глаза вверх, как к небу.

Всё это так. Но сегодня, когда экран стал таким огромным, звук — таким оглушительным, а 3D-эффекты — такими ошеломляющими, сидеть в первом ряду стало для меня испытанием. Фильм и без того набрасывается на меня со всех сторон, атакует все мои органы чувств. Твоя идея кино на ощупь была очень интимной, для этой интимности тебе и нужен был первый ряд. Не могу представить тебя в кино с поп-корном или кока-колой (мы покупали поп-корн в Америке, но исключительно из академического интереса). Впрочем, я много чего не могу представить, а ты, конечно, лишенный всякой пошлости, не стал бы сетовать на времена и нравы.

В самом начале девяностых к нам хлынул поток всевозможных фильмов. У твоих друзей Дунаевского и Генералова была огромная коллекция кассет западных картин — в трешевом качестве, с ужасными переводами с заложенным носом (кто тогда обращал на это внимание!). Собирали они свою коллекцию якобы для образовательной студии в каком-то техникуме и были такими же законченными кинонаркоманами, как и мы. Мы приходили к ним в тесную комнату смотреть фильмы на их видеомагнитофоне. Потом ты уехал в Англию — прочитать несколько лекций о параллельном кино, которое было в моде. Тебе заплатили по тем временам немыслимый гонорар — 800 фунтов. На половину этих денег мы купили какой-то очень продвинутый видеомагнитофон, который мог проигрывать кассеты сразу в двух форматах – *PAL/SECAM* и *NTSC*. Ты привез мне толстые тома "Властелина колец" и "Маятника Фуко" и, разумеется, банку пресловутых соленых орешков — куда ж без них.

Еще мы брали у Дунаевского и Генералова порнокассеты. Я никогда не призналась тебе, что именно под одну из этих кассет испытала свой первый оргазм — только тогда я начала понимать, как устроено мое тело и как извлечь из него наслаждение. Так что девственности меня в каком-то смысле лишило кино.

С появлением видеомагнитофона наша жизнь изменилась и на долгое время обрела железный режим. Подавленные твоим авторитетом, Дунаевский и Генералов кротко позволяли нам брать всё, что мы хотим. Утром мы вставали довольно рано, долго завтракали, потому что никак не могли перестать болтать, потом оба садились писать: ты — статьи, я — диссертацию об Айседоре Дункан. Я делала в день страницы четыре на красной югославской машинке — не слишком много, но достаточно, чтобы с чистой совестью сесть смотреть кино. Смотрели всё подряд — от немецкого экспрессионизма двадцатых до американских боевиков восьмидесятых. Ты наконец смог увидеть всё, о чем раньше только читал. Кино окончательно заполонило нашу жизнь.

Ты завел специальную картотеку и на аккуратных белых карточках записывал информацию и заметки о фильмах, которые смотрел, рисовал раскадровки. Помню роскошную карточку, сделанную после того, как в Доме кино мы увидели "Унесенных ветром", помню твои рисунки пожара и флага. Помню карточку с "Модерато кантабиле" Брука. Я смотрела фильмы отчасти твоими глазами, тем более что ты мог рассказать о каждом, а если не мог, то немедленно придумывал и историю, и концепцию. В твоей способности держать внутри себя всю историю кино было что-то феноменальное. Свои энциклопедические знания ты собирал по крупицам — ведь это было до эпохи, когда любую информацию можно за несколько секунд извлечь из Интернета.

У нас был толстый справочник Леонарда Малтина с его четырехзвездочными рейтингами (довольно точными, кстати) и с идиотской очкастой физиономией на обложке. Этот кирпич маленького формата заменял нам многие киноэнциклопедии. Проглотив несколько кассет и в деталях обсудив увиденное, мы отправлялись вечерами в Дом кино и садились в первом ряду. Не помню, держались ли мы за руки в кино. Наверное, нет — ты не любил отвлекаться. С Сережей мы всегда держимся за руки: в кино, на улице, за рулем — он умудряется вести машину одной рукой. Может быть, потому что он такой большой, я чувствую себя рядом с ним маленькой и защищенной. Я больше ничего и никого не боюсь. В "Три цвета: Синий" Жюльет Бинош, потерявшая мужа и сына, подходит к телефону, слышит в трубке: "Мне надо с вами поговорить. Это важно". И отвечает: "Ничего не важно".

С этим чувством я живу семнадцать лет. Ничего не важно.

Смотреть кино с тобой вдвоем было особым опытом. Мы разделяли удовольствие — и тем самым удваивали его. Я больше ни с кем не могу разделить этот легальный наркотик. Даже если крепко держу кого-то за руку. Даже если ищу в темноте чьи-то губы.

Теперь, когда тебя нет, я всегда ощущаю свое одиночество перед экраном.

35.

Привет! Мы с тобой смотрели много серьезных
и трагических фильмов, но в целом кино в нашей
жизни создавало живой, радостный и даже хулиганский фон. Мы разговаривали репликами из любимых
фильмов, кривлялись, как комические герои,
распевали киношные песенки, изображали забавных
персонажей.

— Светик, ты меня любишь? — умильно спрашивал ты, как Стеблов в "Я шагаю по Москве". — Что —
"да"? Да — да или да — нет?

И оттуда же, с тревогой:

— Парень, а что бывает за потерю военного
билета?

Или бессмертное басовское:

— Пальто сперли! Драповое! О, сюжет! Сюже-
е-ет...

Я спрашивала, как Волчек в "Осеннем марафоне":

— Бузыкин, а может, я бездарная? ...Бузыкин,
хочешь рюмашку? А я выпью. Мне нужен допинг.

Ты больше любил распевное гундаревское:

— Ни-ко-му — я — не-нуж-на!

И ее же реплику:

— Андрюша, у тебя там правда — всё?

Мечтательно повторял слова Любшина из "Позови меня в даль светлую":

— Приду домой, телевизор включу, постановку какую-нибудь посмотрю...

Чапаевское:

— Не могу, Петька! Языков не знаю...

Ефремовское — из "Берегись автомобиля":

— Эта нога — у кого надо нога...

Евстигнеевское — из "Добро пожаловать, или Посторонним вход воспрещен":

— Когда я был маленький, у меня тоже была бабушка...

И множество других:

— Я пришлю вам ящик французских сардин. В них масса фосфора.

— А вот руки-то я вам и не подам.

— А часовню тоже я развалил?

— Детей двое — Любушка и Федя...

— Юра, надень курточку!

— Господи, ну почему ты помогаешь не мне, а этому ублюдку? — Потому что ты жадный.

— Кабаки и бабы доведут до цугундера.

И мучительные слова человека-слона:

— Я — человеческое существо.

Причем их ты произносил так пронзительно, что мне всегда хотелось плакать сквозь смех.

В фильмах твой глаз и слух часто выхватывал моменты, которые я могла бы пропустить. Благодаря тебе они навсегда запали мне в душу. Визбор в "Июльском дожде", показывающий на своем большом пальце, какого размера были цветки в кусте сирени, где он прятался в войну от немцев: "Вот такого размера, вот такого..." Великое чуриковское монотонное "Ха-ха" в ответ на известие о том, что Куравлев женат. Дурацкая ошарашенная улыбка Джереми Айронса, когда он узнает, что много лет жил с мужчиной. Ошпаривающий взгляд Ольбрыхского через плечо в сцене расстрела в "Жестяном барабане" — с дамой червей в ладони. Ответ парня из "Пепла и алмаза" в сцене допроса: "Сколько тебе лет?" — "Сто" (пощечина). — "Сколько тебе лет?" — "Сто десять". Рука Орсона Уэллса в "Чужом", машинально выцарапывающая свастику в телефонной будке. Окно, которое разбивается в истерической сцене грозы из "Летят журавли" — ты говорил, что оно бьется не от бомбы, а от накала экранных страстей.

Ты распознавал в фильмах эротическую символику, о которой авторы, скорей всего, даже не подозревали. Например, убеждал меня, что в "Весне на Заречной улице" есть два символических оргазма. Один оргазм — героини: она слушает второй концерт Рахманинова, а герой Рыбникова, стоя в дверях, наблюдает за ее экстазом и в конце концов уходит, поняв, что он тут лишний. А второй — оргазм героя на заводе: вот сталь льется мощной струей, он растворяется в этом потоке, а героиня смотрит издалека — влюбленными глазами. Я смеялась, говорила: "У тебя одно на уме". Но на самом деле ты был прав, конечно! Как был прав и в своей гениальной догадке, что сцена царского банкета в "Иване Васильевиче" — это гайдаевская пародия на эйзенштейновскую пляску опричников из "Ивана Грозного". И был прав, когда говорил, что кадр из "Кавказской пленницы", где Шурик смотрит на самого себя, спящего в спальном мешке, — это отсылка к прологу "Земляничной поляны", где герой видит себя в гробу.

Когда мы смотрели пырьевскую агитку "Партийный билет", ты прокомментировал пылкое, но целомудренное объяснение героев: "Представляешь, как было бы круто, если б на одну секунду зрители увидели бы эрегированный член Абрикосова! И не могли бы понять, они его действительно видели или это мираж?" А ведь это был советский пуританский фильм 1936 года, в котором член мог быть только членом партии. Мы потом еще целый час колдовали над сюжетом в духе кортасаровского рассказа "Мы так любим Гленду": группа киноманов-фанатов выкрадывает копии классических фильмов и монтирует в них порнографические фрагменты, которые, работая на уровне подсознания, постепенно меняют зрительское видение советской истории. (Ты придумал это еще до "Бойцовского клуба"!)

Во всем этом хулиганстве была твоя вера в то, что кино может изменить жизнь.

И что кино — и есть жизнь.

36.

Наши вкусы в кино почти всегда совпадали, да? Почти. Твое параллельное кино я терпеть не могла. В этом были и ревность, и моя тяга к буржуазной стабильности, и мой страх перед пропастью, на краю которой ты любил балансировать. И мое тайное предчувствие, что однажды ты в эту пропасть сорвешься. И было просто отсутствие точек соприкосновения с этими странными юношами. Одного из них звали, между прочим, Дебилом (в миру — Евгений Кондратьев). Из них мне больше всех был симпатичен некрореалист Женя Юфит, который на экране наделил смерть редкой витальностью. Юфит был человеком вполне светским, спокойным, уверенным в себе. Однажды мы с тобой придумали сценарий фильма, в котором зомби, оказавшийся партийным функционером (ты в его роли видел только Леонида Маркова), ворует детей из детского дома, который устроили в его бывшем особняке на Каменном острове. Ты спросил у Юфита — в поисках мотивов для поступков героини-воспитательницы: "Зачем юной девушке идти одной ночью на кладбище?" Юфит посмотрел удивленно и ответил, как будто речь шла о чем-то само собой разумеющемся:

— Как зачем? Червей накопать для рыбалки.

Мы потом повторяли между собой эту фразу, какая-то в ней была глубокая сермяжная правда. Для таких, как Юфит, у тебя под рукой было забавное словечко — "крепкозадый". Ты дурачился, уверяя меня, что и в жизни, и в критике можно обойтись тремя прилагательными — "искрометный, матерый и крепкозадый". А вообще-то надо учиться писать и вовсе без прилагательных.

Ты был вдохновителем, теоретиком, актером и летописцем параллельщиков, писал в московский журнал "СинеФантом", который издавали братья Алейниковы. В 1989 году вы с Максом Пежемским создали полуподпольную группу "Че-паев" (Че Гевара и Чапаев). Но бурные социальные перемены обессмыслили саму идею, "Че-паева" не стало. С кем было бороться? Зомби вышли из подполья, щурясь на солнечный свет, — и как-то постепенно превратились в обыкновенных скучноватых людей. Самый жизнелюбивый из них — Максим Пежемский — направился в сторону мейнстрима и снял "Переход товарища Чкалова через Северный полюс".

Но в начале девяностых параллельное кино пережило свой звездный час. Это была "эпоха лихорадочного братания властных структур с авангардистами". Нелепых, лохматых, странных юношей, снимающих черно-белое кино про мочебуйцев-труполовов, неожиданно повсюду обласкали, готовы были давать им деньги на полный метр, отправляли их на фестивали, вручали им награды, приглашали их на какие-то научные семинары. Трупные миазмы дряхлого разлагающегося общества пузырями вышли наружу. Твоя программная статья о параллельном кино так и называлась — "Весна на улице Морг". Не было больше ника-

ких запретов, на экране буйствовали трупы, камера
тряслась — торжествовала любительщина, которую
ты так талантливо воспевал. Помнит ли их сейчас кто-
нибудь, этих отважных некрореалистов? По-моему нет.
А ведь они появились за несколько лет до датской
"Догмы". "Королевство", с его ручной камерой, смазан-
ным цветом и зернистой пленкой, Ларс фон Триер
снял лишь в 1994 году, через год сформулировав
"параллельные принципы" в манифесте "Догма 95".

Я воротила нос от параллельного кино, кроме,
пожалуй, фильмов Юфита. Все твои теории казались
мне высосанными из пальца. Я не понимала, как
можно применять к этой любительщине академические
методы анализа. К тому же мне было трудно проры-
ваться сквозь твои насыщенные и сложные тексты. Эта
параллельщина казалась мне недостойной тебя.

Иванчик, недавно я перечитала твои тогдашние
статьи про параллельное кино (многие из них написа-
ны под псевдонимом Ольги Лепестковой). Оказалось,
это едва ли не лучшие твои тексты. Они не только
анализируют новую технику съемки, не только ставят
диагноз трупному обществу. Они объясняют интим-
ную любительскую природу кино, исследуют феномен
авангардизма. Они обо всем, что было для тебя так
важно.

Ты с нежностью относился к дилетантам и графо-
манам. На первый взгляд это странно — ведь ты был
железным профессионалом. Но чем больше я думаю об
этом, тем лучше понимаю, почему тебя так интересовали эти убогие попытки искреннего непосредственного
высказывания. Потому что они рождались от любви
и по любви. В статье на смерть Игоря Алейникова,
одного из самых одаренных параллельщиков,

ты написал: "Как медиум, кино взывает к очень личной, интимной картине мира. И любой из нас, окажись в руках камера, в первую очередь стремится запечатлеть родных, близких, друзей, самого себя... С тех пор как кино стало индустрией, искусством и идеологией, так позволяют себе снимать только любители".

Ты воспринимал желание снимать как базовый, почти первобытный инстинкт. В статье об Алейникове ты припомнил обсуждавшуюся в прессе историю маньяка-пефодила, снимавшего на пленку принудительные оргии. "История, конечно, противная. Но если подумать, этот педофил, при всей грязи помыслов, делал «чистое» кино, прямо и без затей продолжающее образ его собственной ничтожной жизни".

Интересно, что ты сказал бы сегодня, когда эта графоманская идея "чистого" кино мутировала в эксгибиционизм фейсбука, инстаграма и ютьюба? Когда жизнь, если она не отражена в фотографиях, чекинах и лайках, как будто вовсе не существует?

Одним из последних твоих интервью стал разговор о графомании — в "Митином журнале". Ты говорил о нашем предсказуемом и скучном мире, который движется к логическому исходу. "И вдруг вот такие неожиданные графоманские прорывы — от неумения, от убогости — становятся в нем острой приправой, уколом, стимулятором, который эту умирающую, усталую, гниющую, разлагающуюся культуру подстегивает..."

Так можно сказать и о дилетантском творчестве, ежесекундно рождающемся в социальных сетях, разве нет? О так называемом *user-generated content*? Впрочем, эти неутомимые юзеры чаще всего не претендуют на художественное высказывание.

Кстати, ты многих авангардистов считал дилетантами. Уверял, что авангард — это попытка исследовать физическую реальность не всегда в формах искусства. Ты сам остался авангардистом, как бы ты ни притворялся постмодернистом и ни прятался за цитатами. И физическую реальность ты исследовал всерьез — пошел до конца.

Так что параллельное кино из твоей жизни не исчезло, оно осталось — твоей параллельной реальностью. А статью на смерть Игоря Алейникова я не могу читать без слез. Она написана очень просто — без твоей привычной сложной аналитики, без романтических красивостей. "Обстоятельства его ухода кажутся особенно неправильными, дурацкими".

Статья называется "Здесь кто-то был".

Никто уже не помнит, кто здесь был.

37.

Иван!!! Я попробовала наркотики. И вовсе не дека-
дентский кокаин, и не шестидесятнический *LSD*,
и не легкодоступную марихуану. И уж конечно,
не смертоносный героин.

Я попробовала всего лишь грибы. Причем
легальные, разрешенные в Голландии, купленные
в амстердамском магазине — никакого криминала.
Понадобилась как минимум новая любовь, чтобы на
это решиться, ведь новая любовь — это новое путешествие, в котором устанавливаются новые правила
и новые маршруты. Сережа купил грибы, магические
трюфели (мне нравится название!) — он раз-другой
уже пробовал их в Амстердаме. Рассказывал как умел —
обостренные чувства, галлюцинации, глубинный кон-
такт с самим собой.

Согласилась я не только из-за него, но и из-за
тебя. Для интроверта Сережи наркотики — путешествие внутрь себя. Для тебя они были бегством от
себя. Я хочу понять, зачем ты рвался в этот фантомный
мир, что хотел там найти, что мечтал увидеть, от чего
убежать? Почему ты сделал то, что сделал? Ты писал
о Фассбиндере: "Он нюхал кокаин, но не затем, чтобы
подстегнуть фантазию, а затем, чтобы примирить свою

мучительную фантазию с реальностью". Может быть, ты написал это о себе?

Мне намекали, что всякие разные вещества присутствовали в твоей жизни даже тогда, когда мы были вместе и когда у нас всё еще не начало разваливаться. Не верю. Я почувствовала бы, поняла. Разве что это началось в последние полгода, когда я стала тебя плохо чувствовать. Так что о последних месяцах нашей жизни ничего не могу сказать, не знаю. Но до этого — не может быть. Просто не может.

Сережа купил грибы в Амстердаме, куда мы приехали на два дня. К грибам я серьезно не относилась, хотя ты рассказывал о древних воинах, которые отчаянно шли в бой, наевшись мухоморов. Ну что может быть серьезного, если эти грибы можно купить в магазине? И вообще — это всего лишь грибы. В Амстердаме я не захотела их пробовать. Была усталой, невыспавшейся, измученной. Сережа взял грибы с собой во Францию. Я и не знала, что это опасно.

Съели мы эти магические трюфели в крохотной луарской гостинице на шесть комнат, которую держит моя русская знакомая. Наверное, это были наши самые счастливые дни с Сережей. Разница между нами сгладилась, в иллюзорном мире мы были равны. Мы проглотили по порции грибов, легли на кровать, обнялись и принялись ждать. Прошло минут двадцать, и я начала нетерпеливо ворчать:

— Я же говорила тебе, что меня наркотики не берут. Ничего не происходит, и я ничего не чувствую. Буду спать.

Я закрыла глаза — и увидела яркие оранжевые узоры на черном фоне. Началось.

Доза была небольшая, грибы — слабые, но впервые в жизни я испытала воздействие галлюциногенов. В институте я несколько раз курила марихуану, мне давали "пыхнуть" в компаниях и тщетно делали "паровозик", а в Туве, куда Маркович затащил меня в археологическую экспедицию, меня кормили листьями анаши, жаренными в подсолнечном масле. Все вокруг счастливо ржали и говорили глупости, а я, не подвластная никаким наркотическим силам, сидела мрачная и трезвая.

И вот теперь, в Луаре, это наконец случилось. Портрет французской аристократки в бальном платье и с собачкой на коленях, висящий над кроватью, вдруг оказался гомерически смешным. Мы полчаса безумно хохотали. Наш смех был таким отчаянным, что вызывал слезы. Мир представал то невероятно забавным, то болезненно ослепительным. Распадался на яркие фрагменты. Я, голая, лежала на каменном балконе, впитывая солнце, от которого всегда старательно пряталась. Сережа пытался увести меня с балкона, я слушалась, но возвращалась туда снова. Его золотистое тело казалось таким громадным, что пугало меня.

— Ты большой, как мамонт, ты — Минотавр, — повторяла я. — Не подходи ко мне, я тебя боюсь.

Осторожно, кончиками пальцев я трогала его плечи и руки, как будто хотела почувствовать переплетения кровеносных сосудов, — трогала точно так, как ты когда-то трогал мою грудь на чужой кухне. Потом я обнимала его, плакала, слезы лились градом:

— Ты слишком огромный, а Сережа был совсем маленький. Но внутри он был большой, а ты, наоборот, — маленький. Но я тебя тоже люблю.

Половина лица моего нового Сережи была тонкой и красивой, а половина — грубоватой и плебейской. Я вертела головой в поисках ракурса, при котором это лицо окажется полностью прекрасным, высокий лоб и длинные прозрачные глаза будут доминировать. Фонарь в саду, превращаясь в венецианскую маску, надвигался на меня. Но самое невероятное начиналось, когда я закрывала глаза, — передо мной плыли лица, узоры, краски, и я могла ими управлять. Сережа включил *Sun King*, песню "Битлз":

Quando para mucho mi amore de felice corazon
Mundo paparazzi mi amore chica ferdy parasol
Questo abrigado tanta mucho que canite carousel...

Мы слушали "Солнечного короля", наверное, раз десять. Этот король теперь навсегда соединится для меня с нашим грибным опытом. Кстати, ты, Иванчик, говорил, что "Битлз" — это парафраз ангельского пения в двадцатом веке.

Ты сейчас засмеялся бы и сказал:

— Поздравляю с инициацией! Но больше так не делай, ладно?

У тебя такое было? Я не спрашивала — боялась.

Очень боялась влезать в мир, где я не смогу распоряжаться.

38.

Мы с тобой так хотели ребенка! Когда мы только начали жить вместе, ты спросил меня:

— Иванчик, ты ведь родишь мне ребеночка? Еще одного Иванчика?

— А если родится девочка?

— Тоже будет Иванчиком, как ты.

У нас была болгарская подруга, красавица по имени Иванна, так почему бы и нет? Будет Иван Добротворский или Иванна Добротворская.

Я совсем не хочу об этом говорить, до сих пор больно. Но не могу не говорить, нельзя не говорить. Без этого никак не получится.

Я забеременела почти сразу после того, как мы поженились. Весной. Я помню, как сказала тебе об этом и как ты буквально очумел от счастья. Ты не говорил мне "спасибо", не целовал рук. Ты включил "Битлз", стал танцевать. Один. Потом спросил:

— А можно я расскажу мамочке? Она так обрадуется.

Ты позвонил маме, с гордостью сообщил, что у нас будет ребенок. Позвал к телефону меня, я выслушала счастливые поздравления и слова о том, что надо быть осторожной, хорошо кушать, беречь себя.

Господи, что беречь-то! Мне двадцать шесть лет, у меня не было абортов, это моя первая беременность, какие могут быть проблемы? Мне казалось, что всё и так будет в порядке. Тогда вообще не было практики регулярных визитов к гинекологам, и по возможности я пыталась их избегать. Страшно было представить эту очередь в поликлинике, эти грубости и поучения. И не дай бог забыть тапки, носки и полотенце! Я купила книжку Лоранс Пэрну, которая называлась "Я жду ребенка", и эта книга стала моей библией. Всё в ней трактовалось в духе здорового французского пофигизма. В том числе и незначительное количество кровяных выделений в первые недели беременности: это бывает, это нормально, бояться не надо.

Увидев на трусиках легкие следы крови (шла седьмая неделя), я убедила себя, что ничего страшного не происходит. Не пошла к врачу. И не отменила поездку в Стокгольм — с группой театроведов. Уже в самолете я почувствовала, что со мной что-то неладно. Живот крутило и схватывало. Кровотечение усиливалось. Тошнило. Но я отказывалась понимать, что теряю ребенка, и никому ничего не сказала. Еще день или два я провела, мучаясь болью. Стокгольм увидела в дымке — похож на Питер, но в его красоте нет ничего щемящего. Была в жутковатом музее моего обожаемого Стриндберга, где увидела знаменитую красную комнату как будто сквозь красно-кровавую пелену. На второй, кажется, вечер нас повезли в старинный деревянный театр, где давали оперу восемнадцатого века. Мне было плохо, я едва держалась на ногах, а во время спектакля кровь из меня хлынула потоком — и таким же потоком хлынули слезы. Моя подруга театроведка Таня Ткач и шведская коллега Даниэла, подхватив меня под руки, вывели из зала. Кто-то вызвал скорую. Я уже знала, что всё кончено, — я отчётливо ощутила, как из меня выскользнул крохотный склизкий комочек. Наш первый ребёнок, наш Иванчик.

Меня отвезли в стокгольмскую больницу — просторную, чистую и по советским понятиям — роскошную. Я была в истерике, рыдала не останавливаясь. Рядом со мной рыдала Таня — она умела сочувствовать. Мне в голову даже не приходила мысль тебе позвонить — а как? Мобильных телефонов не было. И не было привычки делиться всем в режиме реального времени. Новостей надо было ждать — и хороших, и ужасных.

Ко мне пришёл врач, красивый брюнет, похожий на латышского актёра Ивара Калныньша. Его красота, его ровный голос, тонкое обручальное кольцо на пальце меня немного успокоили. Он осмотрел меня и сказал, что винить себя не нужно — в любом случае зародыш бы погиб. Природа сама избавилась от дефектного плода, и я бы его всё равно не уберегла. Я кивала, но про себя думала: "Откуда он-то знает? Ведь ребёнок из меня уже выскользнул, там ничего нет".

Мне сделали операцию (в наших больницах это мерзко называли чисткой, или выскабливанием). Наутро, опустошённая, я проснулась в большой светлой палате, где лежали ещё несколько человек. Меня поразило, как молодая санитарка долго, почти час, аккуратно расчёсывала седые волосы старушке на соседней кровати и живо болтала с ней, как с близкой подругой.

Вскоре ко мне пришли Таня с Даниэлой, сказали, что нам надо быстро уйти из больницы, пока не заставили платить. Платить было нечем, театральный институт не оформил страховку, а подобная операция стоит кучу денег. Я быстро оделась, мы сбежали по задней лестнице, вскочили в машину Даниэлы и поехали к ней домой. Наивные, мы были уверены, что избежали расплаты. Но при регистрации меня внесли во все базы данных — имя, паспорт, адрес. В течение многих лет мне приходили счета из Швеции — причем сумма росла и росла. Долгие годы я боялась ехать в Стокгольм — вдруг я там внесена в какой-то страшный список неплательщиков и меня арестуют прямо на границе?

Ты встречал меня в пулковском аэропорту — такой легкий, светлый, счастливый. Я не сказала сразу, но ты что-то почувствовал и, когда мы сели в автобус (брать такси для нас было дорого), спросил:

— Что?

Я сказала что. Уже не помню, какими словами. Твое лицо потемнело. Оставшуюся часть пути ты больно сжимал мою руку. Я смотрела сухими глазами в окно. Дома мы успокаивали друг друга, говорили, что всё будет хорошо. Просто потому, что по-другому быть не может. Повторяли мои любимые брехтовские строчки:

Плохой конец заранее отброшен.
Он должен, должен, должен быть хорошим!

Где-то через полгода я снова потеряла ребенка — на четвертой или пятой неделе. Это случилось дома, на 2-й Советской, кровь выходила из меня какими-то сгустками, похожими на куски сырой печени. "Чистка" не понадобилась, из меня вышло всё — вся кровь, все жизненные соки, всё, что должно было стать маленьким Иванчиком или маленькой Иванной.

В третий раз, спустя еще несколько месяцев, будучи на восьмой неделе беременности, я опять обнаружила капельки крови — начала "кровить", как говорили тогда гинекологи. Меня отвезли в больницу. Доктор, руками ощупавший мою матку (узи на дорогой аппаратуре тогда делали редко), сказал:

— Четыре недели.

Я возразила:

— Восемь.

Он мрачно констатировал:

— Значит, замершая. Будем оперировать.

Я никогда не слышала этого словосочетания — "замершая беременность": в нем было что-то жуткое и даже завораживающее. Сердце зародыша перестало биться еще на четвертой неделе. Оказывается, я ходила целый месяц, не догадываясь, что ношу мертвый плод. Мне казалось, что я и сама мертва. Но из меня текла кровь, текли слезы — значит, я была еще жива. В мою большую палату с грязно-розовыми стенами, где лежали еще шестеро женщин, тебя не пускали. Ты передал мне душераздирающую записку, я вышла к тебе на площадку у лифта. Ты, всегда так легко находящий слова, был растерян и беспомощен. Я почти никогда не видела у тебя слез. Но в тот момент ты плакал — пусть и без слез.

Полгода спустя, когда ты был в Америке, я ходила к Бугакову — гинекологу, которого считали кудесником и у которого рожали самые безнадежные женщины (чуть не написала "от которого рожали" — ко всему прочему он был еще и усатым красавцем). Бугаков был уверен, что у меня всё в полном порядке. Ребенка я потеряла дома — неделе на шестой, корчась на диване в полном одиночестве. Позвонила Бугакову —

от соседей, телефона у нас в квартире на Васильевском острове не было. Тот велел собрать и принести всё, что из меня вышло. Я покорно собрала какую-то желто-кровавую слизь, завернула в пищевую фольгу и на следующий день пришла к нему на прием. Он осмотрел меня, изучил желеобразный комочек, похожий на кусочек лягушачьей икры. Сказал, что операция не нужна, организм аккуратно выбросил всё. Предложил пить в течение трех месяцев противозачаточные таблетки — гормональный фон выровняется и будет легче забеременеть. Я обреченно согласилась, терять мне было нечего.

Ты так ничего и не узнал про этот последний, четвертый выкидыш — я решила тебя пощадить. Да и что ты мог сделать? Таблетки не помогли — больше мне забеременеть от тебя не удалось. Внутри как будто что-то захлопнулось. Мы еще как-то трепыхались, ты проверялся, сдавал какие-то анализы, никаких отклонений не нашли. Ты смешно описывал кошмарный гестаповский опыт с катетером. Врач сказал: "Молодой человек, будет очень больно, зато потом вы испытаете потрясающее чувство полета и парения". Еще не раз ты вспомнил это чувство — полета и парения, ведь ты умел из любой гадости высекать веселые искры. Не случайно мы с тобой так полюбили словечко "искрометный", которое я потом подарила половине Москвы.

Недавно Таня Москвина сказала мне, что ты, наверное, не мог иметь детей, ведь у всех твоих женщин были выкидыши. Потом все благополучно рожали от других.

Действительно, я забеременела и родила мальчика и девочку — от другого. Катя, твоя первая жена, родила

двоих. Инна — твоя последняя девушка — троих.
Для каждой из нас ты был и остался главным мужчиной
в жизни. Этот саморазрушительный вектор, которому
ты следовал, уничтожал всё, что могло тебя здесь удержать. Что было бы, если бы у меня родился ребенок?
Что бы это изменило? Всё? Или ничего?

Ты потерял свою девчонку. Ты не снял свое кино.
Ты не родил ребенка. Ты всегда сидел в первом ряду.
Между тобой и экраном не было границы. Ты шагнул
за экран — как Орфей Жана Кокто шагнул в зеркало.

Хочется верить, что смерть явилась тебе такой же
прекрасной, как Мария Казарес. На ее закрытых
веках — нарисованные глаза — потусторонний взгляд
смерти. Смерть оказалась единственной женщиной,
способной любить.

Ты увидел смерть за работой.

39.

Иванчик, ты всегда делал за меня черную работу. Ездил на дальнюю станцию метро, чтобы передать грубо отпечатанные страницы моей диссертации профессиональной машинистке — нужно было сделать три экземпляра на пишущей машинке, ни в коем случае не на компьютере! Опечатки нельзя было замазывать белилами, надо было заклеивать крохотными квадратиками. Тяжеловесное бессмысленное название "Эстетика и поэтика западноевропейского театра рубежа XIX–XX веков и феномен Айседоры Дункан" (с тех пор терпеть не могу слово "феномен") я в последний момент все-таки умудрилась поменять на "Айседора Дункан и театральная культура эпохи модерна".

Едва ли не более важной, чем тема защиты, была тема банкета. Не защититься было невозможно, защищались все, даже полные убожества. Моя диссертация, боюсь, не была талантливой, но она была свежей, занятной. И без обязательных цитат из Маркса и Энгельса, хотя профессор Борис Александрович Смирнов (мой, а за несколько лет до этого и твой научный руководитель) на них горячо

настаивал. Я сказала ему — в 1991 году это уже
не требовало особого мужества:

— Да бросьте вы, Борис Александрович! Кому это
сейчас нужно!

Лет за десять до этого ты написал диплом
об Анджее Вайде и польском кино. Накануне защиты
развернулась пропагандистская истерика вокруг
создания "Солидарности". Ты психовал, прибегал
к Борису Александровичу (ты называл его "Боб-
саном"). Тот, в ответ на твои нервные вопросы, махал
рукой и зевал:

— Молодой человек, успокойтесь, история
пишется не для слабонервных.

Ты мне эту фразу потом не раз повторял. Я усвоила.
Не для слабонервных.

Итак, банкет, банкет. На дворе голодный 1992-й.
Что делать? Куда приглашать людей? Чем угощать?
А звать надо было всех — членов кафедры,
оппонентов, рецензентов, коллег, секретарш
и аспирантов. Посовещались и решили объединить-
ся с Иванной (защищаться нам предстояло в один
день) и устроить всё в нашей квартире, потому как
она большая и находится недалеко от института.
Как человек европейский (ну, восточноевропейский),
Иванна предложила фуршет. Ты сомневался,
но я поддержала:

— Конечно, фуршет! Все будут ходить по квартири-
ре, держать тарелки, выпивать, общаться.

Иванна взяла на себя салаты и болгарский бренди
"Солнечный Бряг" (по тем временам — роскошь!).
Мы — водку, вино, шпроты, пироги с капустой, рыбу
под маринадом и мясные нарезки. Сладким занимались
совместно.

Защита прошла как по маслу, подробностей не помню. Зато помню, что на мне был черный костюм с золотыми пуговицами, белая блузка, на носу — очки в тонкой оправе. Губы я накрасила красной помадой — она прибавляла мне возраста. По тогдашним понятиям я была слишком молодым кандидатом искусствоведения — двадцать шесть лет. Помню, что я сказала с кафедры какие-то слова благодарности тебе. Что-то ироническое, вроде:

— Спасибо моему мужу Сергею Добротворскому, который отлично поработал машинисткой и курьером.

Не могла сказать просто:

— Спасибо Сереже Добротворскому, которого я люблю.

Идея фуршета с треском провалилась. Ну не приживалась она в нашей стране, где приняты долгие застолья, вставания в честь дам и посиделки с песнями. Профессора и доценты, потолкавшись пять минут с тарелками на весу, сдвинули столы и надолго уселись. У меня сохранилась фотография, где мы с тобой сидим за этим праздничным столом, уставленным бутылками и нарезками. Ты обнимаешь меня, смотришь нежно и с любовью, как на ребенка. Я расслабленно смеюсь — всё позади. Мы оба выглядим счастливыми.

Гремучая смесь бренди с вином и водкой подкосила всех мгновенно. Кто-то из профессоров запел арию Мистера Икса: "Никто не знает, как мой путь одинок!" Мне запомнилось странное ощущение, что защита стала моей инициацией, переходом в мир взрослых, стиранием границ между мной и моими преподавателями. Уже несколько лет я читала лекции с ними на равных, но теперь, получив ученую степень, по праву вошла в их клан. Теперь при мне можно было напиться, спеть про то, как цветы роняют лепестки на песок, рассказать драму своей жизни и даже всплакнуть. Ты, разумеется, не пил, но гениально, как всегда, всем подыгрывал.

Пытаюсь вспомнить, что мы делали, когда все наконец ушли? Как мы убирали со столов? Как раздвигали их? Как расставляли стулья? Была ли я пьяной? Мы болтали на кухне? Пили чай? Сказал ли ты, что мной гордишься? Смогла ли я заснуть?

Всё это исчезло из памяти. Куда?

40.

Привет, Иван! Ты так любил придумывать смешные рифмы и сочинять короткие маленькие стишки. Иногда рисовал к ним забавные рисунки на листках формата А4. Почему-то у меня сохранилось только несколько таких листков, а ведь их было много. Куда всё делось? Недавно я вынула эти пожелтевшие бумаги из пыльной папки, где они лежали между коллажем "Доктор Геббельс, или Закат иудейской религии" и комиксом под названием "Чапаев и Фрейд". Ты мне эти стишки с выражением декламировал:

> Играет желтый патефон.
> Мне много ль надо?
> Нет, едва ли...
> Чтобы меня не доставали
> В беседах, снах и в телефон.

До недавнего времени я не могла даже прикасаться к этим бумажкам. А сейчас — читаю и улыбаюсь.

А вот объяснение в любви, написанное, когда всё еще только начиналось:

Видно, дождик нынче будет!
Я раскрою зонт большой...
А вокруг гуляют люди
И смеются надо мной!
Дождик выпадет к обеду...
Люди спрячутся в домах.
Я к тебе тогда приеду
В отутюженных штанах!

А вот из памяти выпрыгнули еще две твои строчки:

Я гляжу в унитаз, хохоча:
У меня голубая моча!

Я подхватывала:

Да и сам я такой голубой,
Не могу наглядеться собой!

Серьезных стихов ты никогда не писал. И не читал, хотя много стихов помнил наизусть. Ценил новых поэтов — Искренко, Арабова, Пригова, Драгомощенко, с которым ты дружил.

Твоей поэзией было, конечно, кино.

41.

Почему не ты, а я отправилась в Париж летом 1991-го?
Ведь Карла, приславшая приглашение, была твоей
подругой. И о Париже всю жизнь мечтал именно ты.
Признавался, что фильм "Никотин", к которому ты
написал сценарий, был вдохновлен желанием хотя бы
на час превратить Ленинград в Париж. Ну да, я жадно
учила французский в аспирантуре и читала романы
Саган, но разве это причина? О том, чтобы поехать
вместе, речи не шло. Денег хватало только на одного.
И конечно, выбор пал на меня.

У меня было ощущение, что я лечу на Марс.
Так оно и было. В 1991 году в Париже еще мало кто
побывал. Увидеть Париж и умереть.

В аэропорту Шарль де Голль в окне иллюминатора
я увидела кролика, который прыгал рядом с взлетной
полосой. Говорят, это обычное дело, но я с тех пор
прилетала в Париж десятки раз, а кроликов больше
никогда не видела. Было раннее утро. Я приехала
в Бельвиль, добралась до улицы, на которой жила Карла.
Разумеется, не на такси, а на поезде и на метро —
я экономила каждый франк. Несколько раз прошла
с чемоданом мимо дома Карлы — на домах не было
номеров, и я никак не могла понять, куда мне податься.

Я много чего рассказала тебе про Париж. Но не рассказала про Доминика. В первую ночь меня поселили к нему — в доме Карлы было много гостей, и надо было подождать, пока освободится одна из спален. Меня отвели в соседний дом и уложили в постель. Хозяина не было, но у Карлы был ключ.

Я проснулась от ощущения, что на меня кто-то смотрит. В дверях спальни стоял блондин с голубыми глазами и белесыми ресницами — как я сейчас понимаю, он был похож на Венсана Касселя. Я лежала, он стоял, мы молча смотрели друг на друга. Я физически почувствовала, как мимо на цыпочках прошла любовь с первого взгляда. В другой жизни мы с Домиником обязательно влюбились бы друг в друга.

— *Je ne vous derange pas?* — спросил он.

— *Pas du tous**, — ответила я на неожиданно чистом французском.

Близость между нами была настолько ощутимой, что я спросила себя, что буду делать, если он подойдет и меня поцелует. Он не подошел. Ничего не случилось. Я была твоей — совсем, полностью. Любопытно, что Доминик влюбился — именно в эти дни. Не в меня. В другую русскую девушку из Москвы по имени Оля, которая тоже гостила у хлебосольной Карлы. Он был готов к любви, я это сразу почувствовала. Они поженились, и Оля переехала к нему в Париж. А теперь — через двадцать лет — переехала и я. Но живу здесь одна.

Ты оказался в Париже только через несколько лет. Виделся там с Карлой. Осталась фотография, где вы обнимаетесь возле Нотр-Дама. Я ничего об этой твоей

146

---

* — Я вам не мешаю?
  — Нет, нисколько (*франц.*).

поездке не помню. Не спрашивала? Или ты не рассказывал? Или к этому моменту меня уже больше интересовала другая жизнь, не наша? Не твоя.

Любовь с Домиником прошла мимо, а любовь к Парижу возникла мгновенно, с первого взгляда, с первого вздоха, с первого кролика на летном поле. Целыми днями я бродила по городу, уверенная, как и все русские туристы, что это мой последний шанс. Деньги я тратила на музеи, на кино. Здесь я посмотрела "Молчание ягнят", у нас его никто еще не видел, и ты мне страшно завидовал. Моей парижской едой были бананы и мороженое, если не считать круассанов и йогуртов на завтрак, которыми меня кормили Карла и Мари-Лор. Иногда мне так сильно хотелось есть, что я едва не падала в обморок. Но бороться с этим было легко. Надо было отыскать ближайший магазин и купить банан, который стоил примерно один франк. Тоже, кстати, не так мало, потому что за один франк в "Тати" можно было купить капроновые колготки.

Благодаря своим голодным экзерсисам я умудрилась скопить немного денег и купить кое-какую одежду. Черный костюм с широкими плечами и короткой юбкой, который меня, как мне казалось, дико стройнил. (Я была в нем в гостях у Плаховых в тот вечер, когда познакомилась с Лешей Тархановым.) Увидев меня в этом костюме, ты присвистнул:

— Это круто, Иванчик.

И мы — я прямо в этом костюме — занялись любовью. Ты не дал мне снять юбку, секс в одежде притягивал нас обоих, как будто в одежде мы были не просто любовниками, мужем и женой, но еще и разнузданными персонажами западного фильма "детям до шестнадцати...".

Кроме черного костюма, я привезла из Парижа белую с синим матроску. Черные с золотом клипсы. Наверняка что-то еще, не помню. Но помню, как украла в одном парижском магазине помаду. Что это было? Зачем? Помада стоила недорого, я вполне могла себе это позволить. Но стащила, как безумная клептоманка. Совсем опьянела от парижского воздуха.

Я сделала в Париже химическую завивку, как настоящая идиотка. Меня раздражали мои прямые волосы. Я не подозревала, что многие именно этого и добиваются, распрямляя волосы горячим утюгом. Вечно недовольная тем, что мне дано от природы, я мечтала о кудрях. Жгла волосы щипцами, иссушала феном, накручивала на бигуди. Карла и Мари-Лор отговаривали меня от химических кудрей. Не тут-то было. Я приняла решение. Приеду в Ленинград из Парижа — худая, с локонами, в новом костюме с мини-юбкой. Сражу тебя — и всех вокруг — наповал.

С длинными вьющимися волосами я была счастлива ровно две недели: они мне быстро надоели и уже через несколько месяцев стали напоминать мочалку. Тебе больше нравилось, как я выглядела с прямыми волосами. Разумеется. Вкус у тебя, в отличие от меня, был отменный.

Так обидно, что мой Сережа не полюбил Париж. Для него этот город — совсем чужой, враждебный, иерархичный, буржуазный. Из европейских городов ему ближе Амстердам — из-за сочетания расслабленности и цивилизованности. В остальных европейских столицах за блага цивилизации надо так или иначе расплачиваться всяческими ритуалами. Сережу раздражают парижские рестораны, где надо проводить минимум два часа. (Он начинает нервничать, спрашивать, когда же принесут счет.) Его раздражают толпы туристов. Раздражает привычка французов бесконечно пить вино — за ланчем, за ужином, в перерывах. Раздражает необходимость брать и закуску, и главное блюдо: "А нельзя обойтись одним?" Раздражает культ мишленовских звезд. Раздражает снисходительная манера официантов. Раздражают пышные избыточные интерьеры начала прошлого века, все эти люстры, завитушки. Раздражает, как старомодно всё устроено — и интернет-кабель присылают по почте, и расплачиваться иногда приходится бумажными чеками: "Это какой-то девятнадцатый век!" Да что его только не раздражает. Когда я с ним, я чувствую, что предаю Париж. А когда он уезжает, испытываю облегчение, потому что не должна больше изменять любимому городу.

Но ты! Ты любил Париж, еще не побывав в нем. Ты столько раз видел его в кино. Ты зачитывал вслух куски из статьи Москвиной: "*Belle France* — была не мечта, не идеал... Кроме некоторых особ, лишенных воображения, которые впоследствии вышли замуж за толстых скучных мужчин (именовавшихся «французами») и уехали, стало быть, куда следует, — кроме них, все остальные решительно никуда не собирались. Потому что и так проживали в *Belle France*, стране своего Воображения, плавали среди кувшинок Моне с томиком Верлена в руках".

Может быть, поэтому ты тогда не поехал? Тебе хватало воображения? А что, кроме воображения, тебе оставалось, если ты великодушно уступил Париж мне?

Не могу остановиться и продолжаю читать, как и ты когда-то: "...Мы нашу *Belle France* не отдадим. Мы ее по крохам собирали! Как в хитрой головоломке, прилаживая платья от Кардена к томикам Пруста, а голос Брассенса к названиям фильмов Алена Рене, а немного солнца в холодной воде к шербурским зонтикам, а чуму к шанель номер пять, а детей райка к маленькому принцу, а..."

Но главное — во Франции родилось кино, и в этом смысле она была тебе — навсегда — родная. Ты повторял, что кино появилось в стране классической буржуазной культуры. Ой, не знаю, смог бы ты со своей безмерностью жить в этом мире мер. Или ты не мог жить нигде?

То, что заставляло тебя играть со смертью, к географии отношения не имело.

42.

Иванчик, я совсем забыла, что мы с тобой жили
в густых клубах дыма. Ты выкуривал не меньше пачки
в день. Никаких попыток бросить курить ты не делал,
и я не настаивала. Ты бросил пить. Нужен же был тебе
хоть какой-то наркотик, кроме кино.

Сейчас я не выношу даже запаха дыма, выгоняю
гостей курить на улицу и пересаживаюсь в ресторане,
если за соседним столиком кто-то достает сигарету.
Но тогда у нас в тесных кухнях курили все —
и я не обращала на это никакого внимания, дым меня
ничуть не раздражал. Ты курил французские *Gauloises*
и *Gitanes*, эти синие и голубые пачки сопровождали нас
несколько лет. Выбрал ты их отчасти за дизайн. Дизайн
Camel и *Marlboro* восхищал тебя не меньше, но за "Толу-
азом" и "Житаном" вставала важная для тебя мифология. Римейк "На последнем дыхании", к которому ты
написал сценарий, ты назвал "Никотином". Никотин —
это и жест Бельмондо, снимающего большим пальцем
с губы табак, как Хамфри Богарт. И наркотический
эффект кино. И смертельный яд, который в нем есть.
И финальное словечко: "Сука". Сука, сука, я знаю.

А еще ты курил табак *Gauloises*, увлеченно
скручивая папироски. Тебе нравился не столько вкус,

сколько процесс. Эстетика этого ручного скручивания. Могу повторить, что за стиль ты мог простить всё. Или почти всё.

Мой Сережа не курит и никогда не курил. Но ему нравится, когда курю я. И тоже — из эстетических соображений. Он восхищается моими руками, длинными пальцами, узкими запястьями и говорит, что сигарета их подчеркивает, привлекает к ним внимание.
С детства я стеснялась своих рук, ссадин, следов от выведенных кислотой бородавок, обкусанных ногтей. А с Сережей я вдруг увидела их по-новому. Курила я при нем всего два раза. Он несколько раз сфотографировал меня с сигаретой и показал мне:

— Посмотри, как это красиво.

Сережа говорит, что представляет, как мы могли бы жить вместе — где-нибудь на другом конце земного шара, в Кейптауне, например. Там я писала бы книгу. Сидела бы за компьютером с чашкой кофе и с сигаретой в руке. А он — он приходил бы домой, стоял бы в дверях и смотрел на меня, на мои руки, на мою шею. Я смеюсь:

— Ну да, я буду старой злобной ссохшейся теткой с черепашьей шеей, которая выдумывает свою жизнь и завидует молодым. Как Шарлотта Рэмплинг из "Бассейна".

Черт, ты же не знаешь Озона и не видел его "Бассейн"! "Бассейн" Жака Дерэ мы смотрели с тобой вместе — в Доме кино. Ты тогда сказал, что в красоте Роми Шнайдер есть что-то плебейское. Особенно в руках. Меня это поразило: мне-то она казалась настоящей аристократкой. И играла она королев — Сисси, например. А вот Шарлотту Рэмплинг ты обожал, восхищался ее стальными глазами под нависшими веками, ее актерским бесстрашием. Говорил, что она похожа на Боуи в женском обличье. Что никто не мог бы так естественно и с таким достоинством изобразить любовь к шимпанзе в фильме Осимы "Макс, моя любовь".

А курить бы ты мне не разрешил, конечно. Даже при всей твоей любви к стилю.

43.

Как весело было писать наш первый совместный текст! И как легко. Это была статья о Курёхине для театрального журнала "Московский наблюдатель". Называлась она "Капитан Курёхин и...", была разбита на модные главки, написана на одном дыхании. Мы рассуждали о разнице между модернизмом и постмодернизмом и о Курёхине как идеальном постмодернисте. "Он — музыкант конца истории. В идеале он должен появляться на развалинах всех исторических событий, чтобы устроить шабаш, показать иллюзорность открывшегося пути".

Книга, изданная Любой Аркус после твоей смерти, открывается этой статьёй. Но узнать, что написали мы её вместе, можно только из последней строчки бисерных примечаний в конце книги — Люба тщательно зачищала твою жизнь от всего, что не укладывалось в её концепцию тебя. В том числе и от меня — предательницы и суки.

Впервые я увидела Курёхина на концерте "Поп-механики". Всё, что происходило на сцене, меня ошеломило. Весь этот фейерверк, абсолютная свобода, превращение знаменитых персонажей в маски, знаки, функции. Струнный квартет, Эдуард Хиль, театр лилипутов, БГ, похоронный оркестр — всё смешалось со всем, и сквозь этот дурашливый балаган начинала просвечивать совсем иная реальность. И музыка — такая живая, такая смешная. Это было куда живее и талантливее всего, что предлагал современный театр. Это выражало мое время. Но без драмы, без трагедии, играючи. И конечно, сам Курёхин. Он излучал веселую энергию, ослепительную и в то же время застенчивую красоту. У него были огромные сиреневого цвета глаза, длинные женские ресницы и обаятельная манера смотреть исподлобья, опустив голову и сутулясь. Невозможно было понять, дурачится он или говорит всерьез, надел маску или это его настоящее лицо. Для тебя главным в нем было виртуозное умение жонглировать мифами и блистательный дар пианиста. Для меня — способность подчинять своей воле десятки людей на сцене и сокрушительная харизма.

Мы встречались с ним много раз — в том числе и вместе с тобой. (Курёхин писал музыку к "Товарищу Чкалову" и к "Никотину" — кто еще мог так азартно играть тоталитарными и культурными стереотипами.) Ты знал, что я им восхищаюсь. Иногда мы виделись с ним на рок-концертах, он сверкал своими невероятными глазами из-под густых темных бровей:

— Пришла послушать рок?

Однажды я встретила его в Репине, он был со своей маленькой дочкой Лизой. Меня поразило, какой он ласковый отец.

В 1991 году мы с тобой смотрели "Пятое колесо", программу ленинградского телевидения, где Курёхин с Шолоховым устроили свою знаменитую мистификацию "Ленин — гриб". Уже тогда ты счел это несмешным и плохо сконструированным. К тому же ни один из них не выдерживал серьезной интонации, оба глупо прыскали. А ты часто повторял, что "крутые парни не фиглярствуют". (Хотя еще чаще ты говорил, что "крутые парни не танцуют".) Смысл этого ленинского грибного трипа заключался в том, чтобы показать, что теперь всё дозволено: любая бездарная глупость, любой бред, любой бессмысленный розыгрыш. Но ты, конечно, хотел, чтобы это "всё" было сделано талантливо: "Настоящие звуки курёхинского пианино разрушали тщательно возведенные звуки его поп-механик".

От Курёхина осталось множество дисков, остались фильмы, остались записи хеппенингов, но это ничтожно мало по сравнению с тем, сколько ему было дано. Сергей Соловьев, которого Курёхин считал другом и уважал, написал о нем: "Из всех, кого видел в жизни, самый талантливый в истинном природном смысле этого слова — Сергей Курёхин. Над головой его всё время трепетало незримое ангельское крыло".

Я понимаю, что сравнивать вас невозможно. И все-таки сходство есть. Мне иногда кажется, что вы оба не сделали того, что могли. Не воплотились. Не выдержали груза собственного таланта.

Он умер за год до тебя — мы с тобой еще были вместе, хотя в эти летние дни 1996 года я уже встретилась с Лешей Тархановым. Курёхину было сорок два года — на пять лет больше, чем тебе на момент твоей гибели. Через год покончила с собой его дочка Лиза, эту смерть ты уже не застал. Я не помню, обсуждали ли мы с тобой его национал-социалистические выходки последних лет. Если да, то ты наверняка размышлял об этом в контексте разницы между авангардистом и постмодернистом. С чего мы, собственно, и начинали разговор о нем.

Его тоже звали Сережей.

44.

Я тебе никогда не рассказывала про Сережу и Сережу? Тебе бы понравилось, я знаю.

У моей подруги, которая была замужем за славным человеком по имени Сережа, появился любовник — Сережа. Она влюбилась в него отчаянно. Всё, что он говорил, казалось ей глубоким, все его поступки — верными, все действия — правильными. Даже его длинное некрасивое лицо и сутулая нелепая фигура приводили ее в восторг.

— Знаешь, — сказала она мне однажды, — всё, что в муже меня раздражает, в нем мне нравится. Мне даже кажется, что у них разные имена. У одного — плебейское "Сережа", затасканное и скучное. А у другого — аристократическое "Сережа", музыкальное и нежное.

Мне нравится эта притча о несправедливости любви, о королевстве кривых зеркал, об оттопыренных ушах Каренина. В "Смысле любви" Владимир Соловьев утверждал, что слепота влюбленных, заставляющая их идеализировать предмет обожания, — на самом деле не обман, а прозрение. А что, если люди такие и есть, какими их видят любящие глаза в момент наивысшей влюбленности? Что, если этот любовный свет высвечивает их сущность?

Может быть, я придумываю своего нового Сережу, как Марина Цветаева придумывала того, в кого влюблялась: "Еще ничего реального, но мне для чувств реального не надо". Наделяю его сложным душевным миром, тонкостью, внутренней деликатностью. Может быть, ничего этого в нем нет? А вдруг я способна чувствовать в нем всё это, потому что влюблена? Как сделать так, чтобы это влюбленное про-зрение никогда не исчезало? Чтобы аристократическое имя не превращалось в плебейское?

Никому не нужна моя правда, всем нужна моя вера, да?

45.

19 августа 2013

Привет! Я в деталях помню первый год нашей
с тобой совместной жизни. Год, немыслимый по кон-
центрации событий — исторических и личных. Твой
развод, голодная зима, наш брак, потеря ребенка,
Англия, Париж. Обретение видео — а с ним и всей
истории кино. Хороводы вокруг "Сеанса", моя
преподавательская карьера, начало наших журна-
листских опытов (нас обоих стали много печатать).
И наконец, полный и окончательный развал
советской империи. Августовский путч.

Эти дни я помню прекрасно. Телевизор мы включали редко, поэтому никакого "Лебединого озера" бы
не увидели. И — если б не телефон — могли бы
просидеть весь день за письменными столами
и у видеоэкрана, так ничего и не узнав.

Нам позвонил твой отец — бывший член
партии, в прошлом — начальник отдела кадров
Ленинградского телевидения. Ты рассказывал, что
голос его звучал вальяжно и почти торжествующе.
Думаю, ты сгущал краски, ведь на следующий день
твоя мама отправилась на митинг против ГКЧП.
Едва ли в вашей семье возможен был такой идеоло-
гический разлом.

— Рок-н-роллы-то ваши теперь позапретят, — сказал отец. — Включите телевизор!

Мы включили. По всем каналам плыли лебеди. В тот день к нам потянулась вереница гостей — мы жили в центре, а в этот безумный момент у многих возникала потребность сбиваться в кучки. Мы сидели на кухне и пытались унять страх смехом. Смех был почти истерическим. Страх был настоящим. Мы слишком хорошо представляли, чем это могло обернуться и на что способны эти люди. Потом по телевизору показали их пресс-конференцию, и страх мгновенно испарился. Было отчетливо видно, что они и сами боятся. Пожилые мужчины в серых пиджаках с трясущимися руками — бегающие глаза, бессвязные реплики.

— Это же ночь живых мертвецов, — сказал мне ты. — Только посмотри на них. Труп оживить нельзя. А ты знаешь, как зовут товарища Пуго? Борис Карлович! Представляешь? Почти Борис Карлофф, первый Дракула.

Ты много размышлял о тоталитарных мифах советского кино и прекрасно понимал механизмы их воздействия. Идеология развалилась, и на ее обломках уже была исполнена гигантская поп-механика. Опираться этим комическим дракулам было не на что — социальный миф перестал существовать. Ты знал законы жанра и мгновенно понял, что именно по этим законам и будут развиваться события. Эти люди были не страшными, они были смешными.

Так что мы не испугались. И — если быть совсем честной — моя маленькая история всегда была для меня важнее, чем большая. Мы были вместе, мы любили друг друга — это казалось несравненно более важным. Мое гражданское сознание было нулевым. Всё происходящее вокруг путча мы воспринимали как грандиозный постановочный боевик. Эти дни мы провели как всегда — у экрана. Только на экране нам показывали большое историческое реалити-шоу.

Сегодня 19 августа. С того дня прошло ровно двадцать два года. Двадцать два года! С ума сойти! Целая жизнь. Я сейчас пишу тебе из Черногории: десять лет назад мы купили здесь небольшой дом (по-сербски "кучу") — и ни разу об этом не пожалели. Для детей это вторая родина. Так вот, сегодня я была в гостях у приятелей в соседнем поселке, и светская хозяйка попросила каждого из присутствующих рассказать, что он делал в день августовского путча. Каждый вспоминал и рассказывал что-то драматическое. Про леденящий страх, про ужас и отчаяние, про собственное мужество. Я про свое мужество ничего не знала, сидела за столом, пила вино и надеялась, что до меня очередь не дойдет — сказать мне было нечего. Ни про страхи, ни про подвиги — полная гражданская глухота. Рядом со мной сидел Александр Музыкантский, который тогда был заместителем председателя испол-кома Моссовета. Он сказал:

— Довольно быстро стало понятно, что переворот эти люди сделать не сумеют, не было лидера, и все боялись брать на себя ответственность.

Забавно: примерно то же говорил и ты.

К счастью, хозяйка меня ни о чем не спросила, иначе мне пришлось бы сказать:

— А я трахалась с мужем на полу под призывы выйти на площадь.

46.

22 августа 2013

Иван, я не дописала прошлое письмо, так и не рассказала, чем закончился наш с тобой августовский путч, —
слишком много выпила местного красного вина *Vranac*,
заснула тяжелым сном. На следующий день мучилась
похмельем и головной болью, потом страдала от бессонницы. В ту августовскую ночь двадцать два года
назад мы тоже почти не спали. Вечером мы перемести-
лись в дальнюю комнату, где прежние хозяева квартиры
складировали мебель и где ты любил работать в клубах
дыма. Там стоял большой рижский приемник, мы
устроились около него на полу и следили за событиями
в Москве и в Питере. Народ подтягивался к Мариин-
скому дворцу, радио "гнало пургу", предупреждая
о военных дивизиях, которые входят в город. На площадь, где уже строили баррикады, собирались наши
знакомые, например Мишка Трофименков.

— Может, и нам пойти? — неуверенно спросила я.

— Неужели ты думаешь, что я тебя отпущу? —
ответил ты. — Если бы я был один, я пошел бы. Но
не спасать свободу, а славно провести время. Они ведь
за этим и идут. Когда они еще испытают такую эйфо-
рию? Настоящий авангардистский жест. Но ты
не бойся, ничего не будет. Свобода в твоей защите

не нуждается. Это не переворот и не заговор. Заговор требует страсти, воли и одержимости. Ты видела этих людей? Они бессильны.

Мы сидели на полу до глубокой ночи, ты обнимал меня, курил одну за другой, что-то рассказывал, а потом там же, на полу, мы занимались любовью. Говорят, в эту ночь многие занимались любовью. Наверное, в моменты исторических катаклизмов люди становятся особенно уязвимыми. Страх толкает их друг к другу, им нужна защита, слияние, поддержка, тепло, осознание незыблемости своего интимного мира. Уже было ясно, что ты прав, что в Ленинграде никто не погиб и не погибнет, что можно выдохнуть. Но нам важно было в эту ночь быть вместе.

Наутро ты читал мне передовицу из какой-то либеральной ленинградской газеты. Статья называлась "Хроника страшной ночи". Ты смеялся, демонстрируя мне, как журналист нагнетает отсутствующий саспенс. Ничего страшного в этой ночи не было. Как ты и предсказывал, ребята отлично провели время, сильно напились, слушали музыку, а под утро танцевали на баррикадах. Тебя позабавила строчка: "В 1:45 в полевой госпиталь поступила первая жертва — человек упал с баррикад".

— Хотел бы я посмотреть на этого человека, — усмехался ты.

На следующий день мы не пошли на митинг, хотя твоя мама и моя сестра отправились на Дворцовую площадь, ведомые эйфорическим стадным чувством. Впрочем, это было уже не опасно. Исход, согласно законам жанра, был ясен.

К политике ты и потом оставался равнодушен. Вернее, политика интересовала тебя как сценарная интрига, как повод для индивидуального бунта. Интересовала в моменты революций и взрывов. Интересовала как поле применения жанровых манипуляций, операторских и монтажных приемов. Тебя поразило, как это сделал Невзоров в своем вильнюсском репортаже о штурме телебашни в январе девяносто первого года. Но ты не смотрел политические дебаты. Не интересовался мнением политических комментаторов. Был равнодушен к феномену НТВ, не слушал "Эхо Москвы". Помню, в 1993 году в день штурма Белого дома мы с тобой пришли в Дом кино. Однако вместо кино там устроили импровизированное собрание "в защиту нападавших..." Помню, как на сцену вышел Виктор Топоров и сказал о том, что безнравственно расстреливать свой парламент. В зале закричали, заулюлюкали:

— Уйди, подонок!

— Иванчик, вставай и пойдем отсюда, — мрачно сказал ты, и мы двинулись к выходу, провожаемые шипением. Я не знаю, был ты тогда за или против. Но я знаю, что ты ненавидел быть в толпе. Особенно когда озверелая толпа травила одиночку. По странному совпадению именно Топоров написал предисловие к твоей посмертной книге, хотя вы с ним даже не были знакомы. И — всё "страньше и страньше" — именно сегодня он умер. В конце августа, как и ты.

Когда я в августе девяносто первого не отрываясь смотрела по телевизору похороны троих парней, погибших при защите Белого дома, ты сказал:

— Ты хоть понимаешь, что тобой манипулируют? Что они творят новый миф? Посмотри на этих троих — афганец, кооператор и архитектор. Идеальный социальный набор нового времени. Оторвись от экрана, Иванчик.

Я оторвалась от экрана. Но ненадолго. Тем вечером мы смотрели "Соломенных псов" и полночи обсуждали, как Пекинпа перевернул жанровые стереотипы. Очкастый математик Дастина Хоффмана, жалкий интеллигентный слабак, которому, согласно логике фильма, надлежало быть жертвой грубых деревенских парней, превращался в убийцу, получающего садистское наслаждение от расправы. Как всегда у Пекинпа, мораль цинично выворачивалась наизнанку — вместе с жанром.

Когда застрелился Пуго (последнюю пулю выпустила в него жена — перед тем как выстрелить в себя), ты восхитился законченностью сюжета:

— Борис Карлович! С ума сойти. А его жена — это же просто Магда Геббельс, только в фарсовом варианте.

Ты хорошо изучил законы жанра.

47.

24 августа 2013

Ты так любил рассуждать о вампирах! О том, как первобытные человеческие страхи находят выражение в разных жанровых формулах. И жанровое кино ты ценил не меньше авторского. Впрочем, большинство твоих любимых авторов как раз играли с жанром.

Ты любил вурдалаков, сомнамбул, зомби и прочих франкенштейнов — всех, кто побывал по ту сторону. Восхищался "Песочным человеком" Гофмана и "Големом" Густава Майринка. В последний год жизни ты влюбился в Прагу и приезжал туда несколько раз. Неудивительно — при твоей страсти к Голему. Слово "миф" встречается в твоих статьях почти так же часто, как "смерть".

Мы с тобой прочли всего Брема Стокера, а после с увлечением пересматривали все вампирские фильмы (тогда как раз вышел "Дракула" Копполы). Ты называл вампиров неупокоенными, *un-dead*. Интересно, что ты сказал бы о сегодняшней подростковой вампирской эпидемии. Моя дочь Соня, в чьих деликатных и нервных чертах я почему-то совсем не узнаю себя, увлечена бледными красавцами кровопийцами из "Затмения" и "Дневников вампира" и даже ведет какую-то вампирскую группу в социальных сетях. Ты, конечно, немедленно провел бы параллель между вампиризмом и сексом, порассуждал бы об ожидании потери девственности, о первой крови и т.п. Но когда я смотрю на Соню, то понимаю, что в ее мании есть девическо-романтическое желание, чтобы любовь была отчаянной и опасной. Граничила бы со смертью, но была бы бессмертной, вечной. В наши дни Дракулы стали американскими смазливыми тинейджерами. А тебе так нравилось, что они — пожилые восточно-европейские аристократы, уходящая экзотическая натура.

Сережа говорит, что я пью красное вино страстно и упоенно — как кровь. И выбираю всегда самое густое, темное, тягучее. Он любит пить вино из моих губ, ему нравится, как поцелуи смешиваются с вином. В этом есть что-то от переливания крови.

— Глаза у тебя сверкают, как у вампира, — говорит он.

— И когда это бывает?

— Каждый раз, когда ты меня хочешь.

— Значит, всегда.

Пью ли я его свежую кровь? Разумеется. Дарю ли я ему бессмертие, открываю ли новые горизонты? Не уверена. Боюсь ли я рассвета, когда наш хрупкий союз распадется? Не боюсь. И вовсе я не одурела от красного вина и от юношеской крови.

Я не тинейджер, а мудрый, трезвый кровосос — таких ты и любил.

48.

Настоящий рай — это потерянный рай. Мне кажется, что я слышала это от тебя. Но это сказал Пруст. Не пугайся, Иванчик, я не то чтобы штудирую Пруста. Я одолела "Свана", кажется, еще до встречи с тобой и не возвращалась к нему больше. Но эту фразу повторил в своей прощальной речи Ив Сен-Лоран. Поэтому я ее и запомнила.

Сейчас первые два года нашей с тобой совместной жизни кажутся мне райскими. Невероятными. Безоблачно счастливыми. Были ли они такими на самом деле? Или представляются такими из-за чудовищных потерь? Не знаю.

Но я точно знаю, когда наша жизнь впервые дала трещину. Едва заметную. Это было, когда ты уехал в Америку.

В начале девяностых Америка была мифом по-хлеще Парижа. Если Париж был культурным мифом, то Америка — мифом о свободе. Отправиться туда — всё равно что полететь в космос. Мы все любили наутилусовскую "*Good bye*, Америка, о, где я не буду никогда". И вдруг — ты едешь в Америку.

На волне моды на перестроечную Россию получить преподавательский или исследовательский грант было не так трудно. Твоя американская подруга Эллен Берри (ты называл ее Ленкой-ягодкой), которая занималась авангардным кино, устроила мизерную стипендию твоей бывшей жене Кате (и она навсегда перебралась в Америку), а потом и тебе — роскошный фулбрайтовский грант. Предполагалось, что ты проведешь три месяца в университетском городке Боулинг-Грин в штате Огайо, в часе езды от знаменитого Энн-Арбора. Будешь читать лекции о советском авангардном кино и заодно заниматься библиотечными изысканиями, а потом еще месяц жить в Нью-Йорке. Стипендия была по тем временам немыслимой — кажется, две с половиной тысячи долларов в месяц. Что делать с такими деньгами, мы и подумать не смели.

Ты улетал в феврале или в марте — загадочной американской авиакомпанией *Delta* — на четыре месяца. Примириться с тем, что мы расстанемся так надолго, мы не могли. И ты решил во что бы то ни стало взять меня с собой.

Мне казалось, что это утопия. Ведь гудбай, Америка, о, разве нет? Нас так долго учили любить твои запретные плоды. Ты написал какие-то заявления, я заполнила какую-то анкету и каким-то чудом получила американскую визу.

На следующий день я пришла к нежнейшему Льву Иосифовичу Гительману, заведующему кафедрой западноевропейского театра, где я преподавала. Мне нужен был отпуск на целых два месяца! Я что-то плела про то, что буду заниматься своей диссертацией в американских архивах, там столько всего собрано и издано об Айседоре Дункан. Но тогда и без Айседоры Дункан все понимали,

что такое Америка. Гительман выслушал меня
и сказал:

— Как можно от такого отказаться? Поезжайте — и передавайте привет нашему любимому Сереженьке.

Он был мужем обожавшей тебя Нины Александровны Рабинянц, которую ты называл Нинон
и замечательно изображал, как она говорит, перебирая
тонкими пальцами в кольцах: "В этом актере есть
ма-а-анкость».

Незадолго до моего отъезда кто-то сказал мне,
что в Америке ты развязал — начал пить. Кажется,
сказала Катина подруга, которая услышала это
от самой Кати. Почему-то я сразу поверила —
было ощущение, что меня с силой ударили в живот.
Я пришла в отчаяние. Что делать, я не понимала.
И почувствовала, что всё это было с самого начала
предопределено.

Потеря нашего рая. Начало конца.

49.

Какой роскошью был для нас с тобой телефонный разговор во время твоего американского путешествия!

Мы жили тогда в однокомнатной квартире на Васильевском острове. Телефона там не было — мы потеряли нашу линию в каких-то бюрократических проволочках, а восстановить ее не удавалось несмотря ни на какие знакомства и взятки. Иных способов связи не существовало, и коммуникация с внешним миром была полна случайностей и неожиданностей.

Сейчас жизнь устроена совсем по-другому и связь — во всех смыслах — совсем другая. Наша с Сережей любовная связь разворачивается отчасти в сетевом пространстве — все-таки мы то и дело оказываемся за тысячи километров друг от друга. Сотни фейсбуковских месседжей, мейлов, эсэмэсок, скайповские чаты, бесконечные фотографии, которые снимаются на телефон и отправляются в режиме реального времени. Мы сходили с ума из-за отсутствия немедленных ответов. Мы поливали слезами клавиатуру наших лэптопов и в ярости швыряли об пол айфоны. Мы блокировали друг друга на "Фейсбуке" (это называется "банили"), а потом возвращали (это называется "френдили"). Даже слова "я тебя люблю" мы впервые произнесли где-то между "Фейсбуком" и эсэмэской. Я написала ему из токийского аэропорта: "Мне кажется я тебя наверное все-таки может быть..." Но самого главного слова не сказала. Не могла сказать, не глядя в глаза.

А ты звонил мне из Штатов раз или два в неделю в строго условленное время — я ждала этого звонка в квартире Миши Трофименкова, который жил на соседней линии. Когда ты впервые позвонил мне после шокирующей новости о том, что ты развязал, я сразу спросила:

— Это правда?

— Что — правда?

— Что ты начал пить?

Ты спокойно и очень естественно сказал:

— Господи, Иванчик, с чего ты взял! Кто сказал тебе эту чушь?

— Катя сказала.

— Катерина всё выдумывает, ты же понимаешь почему. Я не начал пить. И не начну. Приезжай скорей.

Я тебе поверила. Мгновенно. Потому что хотела поверить.

Но страх, тревога, предчувствие конца меня не покидали.

50.

Иван! Я ехала к тебе в Америку! Мне предстояло
купить билет.

Разумеется, ни о какой "Дельте" в моем случае
речь не шла. Меня ждал "Аэрофлот". Билет стоил
около 300 долларов, но покупать его надо было,
разумеется, за рубли, которые к тому времени
совершенно обесценились. Мы с Костей Мурзенко
(ты оставил его "следить за девчонкой") продали всю
валюту, которая была у нас в доме. Бумажек получилось
так много, что понадобился рюкзак. Костя взвалил его
на плечи, и мы отправились в билетные кассы
"Аэрофлота". Отстояли громадную очередь — без
всякого раздражения, это казалось в порядке вещей.

Большой серый твидовый чемодан я взяла у твоей
подруги. Он был совсем пустой — я собиралась всё
купить в волшебной стране. Самолет улетал рано —
кажется, в пять утра. В аэропорт меня снова провожал
Костя. Погода была чудовищная — темень, свистящий
ветер, мокрый снег. Я оглянулась, увидела длинную
и нелепую Костину фигуру, махнула рукой, поднялась
по трапу — мглистое летное поле исчезало. Самолет
делал две посадки — одну в Шенноне, в Ирландии, —
там, в такс-фри, я с головы до ног облилась разными

духами: я никогда не видела такого количества духов в открытом доступе. Потом он садился где-то в Канаде — к тому времени меня изрядно мутило, в том числе и от удушающего запаха духов. Мы прилетели в Нью-Йорк, где друзья меня встретили и посадили в следующий самолет — в Детройт. Самое яркое впечатление этих двух часов в *JFK* — не встреча с друзьями, а вкус чизкейка. Совершенно заоблачный, небесный. Первый чизкейк в моей жизни. Проглотив его, я снова пошла в самолет — по трубе. Ничего подобного я не видела. И никогда не слышала, чтобы капитан болтал с пассажирами и комментировал полет и грозу за окнами.

От усталости я соображала с трудом. Когда я вышла — снова через трубу, — то сразу увидела тебя. Мы не виделись два месяца, и я посмотрела на тебя как бы другими глазами. Легкий, изящный, очень красивый. Но совсем маленький, карманный. И я впервые подумала, что со стороны мы выглядим вместе нелепо. После многочасовых перелетов кружилась голова, ты был взволнован и возбужден. Я ткнула пальцем в серый матерчатый чемодан, ползущий по ленте транспортера. Ты взялся за чемоданную ручку, и частицей уставшего сознания я удивилась, увидев, как ты согнулся в три погибели, ведь чемодан-то почти пустой, совсем невесомый. "Вот какой ты у меня слабенький", — подумала я со смешанным чувством нежности и разочарования.

Разумеется, это был не мой чемодан. В Америке каждый второй чемодан — именно такой. Самый вместительный, самый легкий и самый дешевый. Ты страшно нервничал из-за этого чужого чемодана, мужского, с аккуратными рядами рубашек. Ты пытался шутить, вспоминал подмену чемодана во "Фрэнтике" Полански и фантазировал, представляя, как сейчас начнется раскрутка детективного триллера.

Чемодан обменяли на следующий день. Ехать никуда не пришлось — сами приехали, сами всё привезли. Но эта история с чужим чемоданом и с тем, как ты согнулся под его тяжестью, засела в голове.

Потом состоялось мое открытие Америки. Наверное, у всех тогда оно было одинаковым. Супермаркеты, похожие на целые города. Улица мороженого, застроенная трехлитровыми пластиковыми ведрами с мороженым невиданных вкусов и сортов (как это — клубничное, ванильное и шоколадное в одном контейнере?). Улица с рядами йогуртов (как это — ягоды на донышке?). Улица с кирпичами ветчины (как это — ветчина из индейки?). Мы, разумеется, брали всё самое дешевое. Особенно нас привлекали просроченные продукты, которые стоили гораздо дешевле обычных. Просроченные — подумаешь, какая ерунда. Кто считает-то? На вид и на вкус они такие же. Задумывались ли мы о сроках в СССР?

Меня поразили экзотические фрукты. В первый день мы набрали бананов, ананасов, киви. Ты уложил меня на диване, устроил вокруг натюрморт из фруктов и стал фотографировать на маленькую дешевую камеру. Эти фото в жанре "привет, я в раю" я отправила по почте родителям. Кто из нас не посылал такие снимки на родину! Вид у меня на них печальный — я прощаюсь с мечтой, как будто плоды эти, перестав быть запретными, утратили сладость. Гудбай, Америка.

Еще были видеопрокаты, где фильмы расставлялись по жанрам, режиссерам, актерам, годам, странам. Тоже своего рода киношные улицы. Тут было всё —

от "Метрополиса" до линчевских ранних короткометражек. В одном из проходов стояла картонная фигура Хамфри Богарта из "Касабланки". Пришла моя очередь фотографировать. На одной из этих фотографий ты стоишь, разводя руками перед всем этим великолепием. Лицо у тебя ошалевшее, растерянное: "Мне вчера дали свободу. Что я с ней делать буду?" Через день мы брали здесь кассеты. Я посмотрела "Ящик Пандоры"

Пабста — и навсегда влюбилась в Луизу Брукс. Посмотрела "Сансет Бульвар", "Сабрину", всего Хичкока. Да чего только не посмотрела!

Жили мы в крохотном дешевом таунхаусе, где была всего одна комната-студия, совмещенная с холостяцкой кухней. Спали на раскладном диване. Зато у нас был собственный маленький садик, где можно было сидеть и болтать вечерами. Неподалеку почти в таком же таунхаусе жила твоя бывшая жена Катя, которая к тому моменту родила мальчика Питера-Петра — от русского врача-эмигранта, ставшего в Штатах шофером-дальнобойщиком.

С Катей мы мирно ладили, забыв об изрыгаемых ею проклятиях в дни разрыва и развода (кто их не изрыгает в дни разрыва и развода?). Несколько раз по просьбе Кати мы оставались с ее веселым улыбчивым малышом, и, когда ты с удовольствием возился с ним, я всегда думала, что нашему ребенку было бы сейчас столько же лет. А ты мог быть преданным и ласковым отцом.

У Кати на полу валялись десятки модных журналов. Среди них — *Vogue*, *Glamour* и даже *Allure*, который только что был запущен в Штатах. Я жадно их разглядывала, ощупывала и обнюхивала — я впервые столкнулась с пробниками духов. Восхищалась сложно сконструированными лицами супермоделей. Это были времена Линды, Кристи и Наоми — было чем восхищаться.

— Ты всегда была помешана на сильных и красивых женщинах. Метаморфозы женской красоты — это вообще твоя тема, разве нет? — сказал бы ты.

Могла ли я подумать, что эти магические журналы станут моей работой и даже судьбой? Но тебя это ничуть не удивило бы, я знаю.

51.

28 августа 2013

Разделенный с тобой опыт — вот чего мне не хватает
больше всего. Даже в глупых мелочах, в маленьких
жизненных радостях. Я помню, как в нашем крохотном
Боулинг-Грине мы с тобой чуть ли не впервые в жизни
пошли вместе в ресторан. Он был китайский — весь
в пальмах и золотых скульптурах, с мраморными пола-
ми и фонтаном. Китайскую еду я пробовала в Париже,
она казалась мне фантастически вкусной, жир и крахмал
меня тогда заботили мало. Я взяла креветки в кляре
с кисло-сладким соусом, ты — свинину (в нашей стране свинина была главным мясным деликатесом). Весь
ужин стоил, наверное, долларов 10–12, не больше,
но для нас это была большая сумма — столько стоили
кроссовки на распродаже. Несколько раз мы брали
в этом ресторане еду на вынос, но чаще предпочитали
готовить сами — что-то привычно гадкое. Варили
сосиски и макароны, которые ты поливал кетчупом,
ели огромными кусками резиновую индюшачью
ветчину, сладкие фруктовые йогурты, жирное
шоколадное мороженое с орехами и печеньем из
огромной бадьи. Чипсы и соленые орешки запивали
дешевыми соками из пакетов. В особо торжественных
случаях ты жарил просроченное мясо — жарил,

разумеется, до состояния подошвы, а потом щедро поливал тем же привычным кетчупом или намазывал горчицей. Что такое мясо с кровью и как его можно есть, мы тогда не знали.

Стал бы ты гурманом сейчас? Полюбил бы, как я, гастрономические рестораны? Интересовался бы шефами, изучал бы рейтинги, читал бы *food*-критиков? Относился бы к еде как к искусству, а не как к топливу для организма? Или остался бы верен своим простым пристрастиям, той еде, к которой мы привыкли с детства?

Сегодня я в очередной раз водила Сережу в парижский ресторан. Я люблю отыскивать новые маленькие гастрономические бистро, которые вот-вот получат мишленовскую звезду. Они, как правило, не такие помпезные. В пафосных ресторанах Сережа чувствует себя неуютно. Ему кажется, что на него косо смотрят, он ужасается ценам в меню, стесняется того, что не говорит по-французски. А если я делаю за него заказ, обижается. "Я ведь и сам могу сказать". Однажды сгорел со стыда, когда официант снисходительно сказал ему:

— Месье, я советую вам держать этот нож другим концом. Вот так.

Несколько раз Сережа осторожно спрашивал:

— А нам обязательно идти в ресторан? Может быть, просто съесть где-то сэндвич?

Но ловил мой удивленный взгляд — и замолкал.

Я кормлю его всем, что люблю сама, и всем, что предлагает Париж с его фермерскими рынками и маленькими лавочками. Свежайшая рыба, из которой я делаю тартары и севиче, выдержанная ветчина, кровавая баранина на ребрышках с розмарином, нежный козий сыр в пряностях с вишневым вареньем, вонючий рокфор с грецкими орехами, суп из сладкой тыквы с прованскими травами, огромные лангустины и сладковатые гребешки, черные и зеленые помидоры со свежим базиликом и перекрученной буйволиной моцареллой. Он вежливо говорит:

— Очень вкусно.

Потом спрашивает:

— Нет ли у тебя бекона или простого сливочного сыра с дырками?

— Давай я тебе пожарю свою фирменную яичницу с помидорами?

— У тебя есть нормальный черный чай, а не эти безвкусные зеленые?

— Почему в доме сахара нет? Как можно чай пить без сахара?

— А картошку можно сварить? Как это — нет картошки?

В магазине он покупает колбасу, кока-колу, пиво, сливочное масло и белый хлеб. От устриц его тошнит — в буквальном смысле.

— Я не гурман, ты же знаешь.

Меня это сердит:

— Что значит — не гурман? Нельзя же объявить вот так тупо: я — одноклеточный простой парень, никаких ваших изысков мне не нужно, а нужно только набить желудок. Вкусовые рецепторы — как мускулы, их надо тренировать. Это ведь тоже работа над собой.

Сережа молчит, но в его глазах я читаю: "Зачем?"

Если бы ты сейчас оказался рядом со мной! Что бы было? Освоился бы ты в лучших парижских ресторанах? Пробовал бы экзотические блюда? Полюбил бы морепродукты, к которым вообще-то был равнодушен? Ты наверняка не пугался бы официантов — или не подал бы виду. Но, думаю, ты бы всё равно держал в холодильнике свой джентльменский набор, заветные вкусы детства. В этом смысле вы с Сережей похожи. Та же яичница с беконом или помидорами, тот же сладкий черный чай, тот же белый хлеб с маслом, тот же хорошо прожаренный стейк. Вот какое забавное путешествие во времени. И что-то говорит мне, что устрицы ты бы тоже есть не стал.

А я ведь даже не знаю, пробовал ли ты устрицы.

52.

3 сентября 2013

Иванчик, хорошо ли нам с тобой было в Америке?
Нам нравился этот провинциальный город, маленький,
зеленый, построенный вокруг огромного университета.
Главная улица — *Main Street*, мэрия с американским
флагом, здание суда, буйно цветущие розовые магнолии.
Два огромных супермаркета на окраинах, размеренная
жизнь, три фильма в день (наша обычная доза),
обширная библиотека (пожалуйста, всё что издано
об Айседоре). Ты называл нас кроликами из Огайо,
которые, как в анекдоте, едят и трахаются — жизнь тут
и вправду была растительной.

 Несколько раз я приходила на твои лекции.
Всё было устроено не так, как у нас. Крохотные столы —
на одного. Студенты, которые считают обязательным
постоянно подавать голос, перебивать и вступать
в дискуссии. Запрет на курение — во всем громадном
кампусе. Профессор-математик Хижняк с Украины,
страдающий от отсутствия женской ласки, скучал по своей
игривой украинской жене, которую называл рысью.

 — Почему они тут все носят кроссовки и бесформенные футболки? — горевал он. — Вчера увидел
женщину на каблуках, так шел за ней, наверное, целый
километр, как кобель за текущей сучкой.

Твой английский был не идеальным, а всего лишь сносным, но лекции ты читал на удивление бойко и легко сумел обольстить студентов, записавшихся на экзотический курс по советскому авангардному кино. Рисовал раскадровки мелом на доске, показывал кадры из фильмов — аппаратура была превосходной, не то что у нас. Длинноволосые кудрявые девушки в джинсах и кедах, с рюкзаками и со жвачкой во рту неприязненно оглядывались на меня. *"His wife"*, — шептали они друг другу.

Мы оба умели и любили читать лекции, это нас сближало — как и страсть к кино. Для меня лекции были наркотиком, источником энергии. Я наслаждалась властью над аудиторией. Чувствовала себя как на сцене, почти пьяной, испускающей лучи (ведь талантливые актеры просто испускают лучи — и это важнее всех на свете сверхзадач). Мои лекции часто начинались ранним утром. И студенты, и я могли прийти бледными, заспанными, вялыми — особенно мрачной питерской зимой. Но через несколько минут я наполнялась жизнью. Иногда ты встречал меня после лекций:

— Ты выглядишь как вампир. Глаза сверкают, щеки горят, губы красные. Напилась студенческой крови?

По сравнению со мной ты читал лекции куда более сдержанно. Твоя власть над аудиторией была другого рода. Ты запутывал слушателей в свою интеллектуальную паутину, вел за собой по умственным лабиринтам, заставлял чувствовать, что мысль — это сексуально, что мозги — это сексуально, что правильно составленные факты — это сексуально. Не смешил студентов часто — я явно злоупотребляла шутками.

Не рассказывал слишком много отвлекающих забавных историй. Не давал расслабляться. Я чаще читала стоя, ты — сидя. Я кокетничала, ты — нет. Да, ты наслаждался властью над студентами. Но еще больше ты наслаждался траекторией собственной мысли.

Мы оба не использовали конспектов и бумажек. Я прекрасно знала, что, увидев бумажку в руках преподавателя, мои студенты — особенно актеры, художники и режиссеры — теряют интерес. Мне каждый раз приходилось готовиться заново, перечитывать пьесы и конспекты, ходить в библиотеку, набрасывать планы. У меня плохая память на цифры, я писала даты на ладони и умела незаметно подглядывать. А ты всё знал и всё помнил.

Я до сих пор читаю лекции. Начала снова делать это несколько лет назад — рассказываю историю своего издательского дома, говорю о рождении и законах глянца, о великих редакторах. Читала в Китае, Японии, Бразилии. Я по-прежнему пью энергию своих слушателей, всё так же легко опьяняюсь ею. Однажды Сережа пришел на мою лекцию — это было в самом начале, перед моим отъездом в Париж. Простоял два часа позади всех, облокотившись на журнальные полки. Слушал со своей застенчивой полуулыбкой. Я упомянула его любимого "Барри Линдона", которого мы с ним накануне смотрели обнявшись. Много (слишком много) говорила про сексуальность глянца. Несколько раз улыбнулась ему счастливой улыбкой. Он потом сказал, что удивился, как я бодро начала — "таким кавалерийским наскоком", как свободно двигалась, как много шутила, как легко отвлекалась — но никогда не теряла мысль. Я-то знаю, что хорошая лекция — как секс. Между тобой и аудиторией возникает живая

чувственная связь. Если этого нет — нет ничего. Иванчик, я тебя всегда очень хотела, когда ты читал лекции.
И Сережа меня очень хотел, я чувствовала это. И оба
мы — я тогда, а он сейчас — гордились, что у нас есть
особая власть над тем, кто владеет всеми.

Он — владеет всеми. А я владею им. От этого ведь
можно с ума сойти.

53.

Ночь с 3 на 4 сентября 2013

Ты так любил мои длинные волосы! Ты бережно
трогал их перед нашим первым поцелуем. Ты обожал
их гладить, накручивать на палец. Ты смеялся над тем,
как я поднимаю их над тарелкой, чтобы не окунуть
в суп. Ты жалел их, когда я сделала химию. Перед
Америкой я их укоротила — до плеч. Они всё равно
были уже мертвыми и напоминали паклю — после
французских химикатов. А в Америке я их вовсе
отрезала — совсем коротко. И этим ударила тебя
в самое сердце.

Подстричься меня уговорила Ингрид — жена
твоего декана, немца по имени Клаус. Ее супермастер
назывался стилистом, но я понятия не имела, что это
значит. В моем представлении он был просто
парикмахер, только немыслимо дорогой — около
шестидесяти долларов. Когда он назвал сумму,
рыпаться уже было поздно.

Он подстриг меня так, что, глядя в зеркало,
я поняла, что это и есть я. Длинные волосы были
мороком, обманом, подделкой. Я — женщина
с короткой мальчишеской стрижкой. Как Джин Сиберг
в "На последнем дыхании", как Миа Фэрроу в "Ребенке
Розмари", как моя любимая Луиза Брукс, "девушка

в черном шлеме". Я смотрела в зеркало — и видела настоящую себя. Американский парикмахер колдовал с моими тонкими волосами, показывал, как уложить их гелем, как создать иллюзию, что их много. Всё это было не важно, потому что я знала, что отныне такой и буду. Всегда.

Ингрид привезла меня в наш крохотный таунхаус. Я увидела твое ошеломленное лицо и почувствовала себя так, как будто я тебя предала.

— Иванчик, что ты с собой сделал? — спросил ты мертвым голосом.

— Тебе не нравится? А по-моему, здорово, нет?

— Но это совсем не ты.

— Но это я и есть!

Ты так и не смирился с моей короткой стрижкой. У Генриха Манна есть пассаж о том, что длинные волосы — символ пола женщины, что ее власть сверкает диадемой в длинных косах. Отрезав волосы, я как будто ослабила свою женскую магию, таинственную женскую силу.

С короткой стрижкой я стала женщиной-мальчиком. Ты же хотел женщину-фемину, *ultimate woman*. С длинными волосами, большой грудью, на шпильках, в черных чулках с подвязками, с коленками, выглядывающими из-под юбки. Плевать на разницу в росте. Чем выше, тем круче.

Несколько раз ты просил меня отрастить волосы. Я не могла. Я пыталась, но, дорастив до ушей или до середины шеи, стригла их снова — и вздыхала с облегчением. А когда вы с Женей Ивановым снимали "Никотин", то стриженной под мальчика Наташе Фиссон, играющей роль русской Джин Сиберг, надели длинный светлый парик, очень ее опростивший.

Ты словно отыгрывался за мои короткие волосы. Пытался что-то вернуть.

Сережа обожает мою короткую стрижку — он в такую меня влюбился.

— Я так люблю твои мальчишеские виски, — говорит он. — Длинные волосы у всех. А ты такая — одна.

Но для тебя я, остригшая волосы, больше никогда не была прежней.

Всё, к чему ты прикасался, обретало дыхание, энергию, смысл. Помню, как вы с Клаусом ставили "Бидермана и поджигателей" Макса Фриша в студенческом театре. Я приходила на репетиции. Пьесу играли на немецком языке, Клаус неуверенно и довольно беспомощно разводил мизансцены. Ты сидел в зале, наблюдая из первого ряда. Тебе совершенно не надо было там присутствовать, но разве ты мог оставаться в стороне! В какой-то момент ты не выдерживал, выпрыгивал на сцену, что-то говорил одному студенту, усаживал на стул другого, ставил спиной третьего — и на сцене всё мгновенно оживало. Студенты прекрасно понимали, чьи в лесу шишки, — слушали тебя, открыв рот. В эти моменты я отчетливо видела, что в тебе погиб театральный режиссер, который тонко и точно чувствует актеров, пространство, текст, зрителя. И вспоминала театр "На подоконнике", к которому когда-то так пренебрежительно отнеслась.

На премьере "Бидермана..." ты страшно волновался, как будто это было твое детище. Но кланяться выходил, конечно, Клаус. Мы много времени проводили с ним и с Ингрид. Они приглашали нас на барбекю, возили в университет Энн-Арбора, в джазовый клуб, в бар, на балет, в арт-музей Толедо. Там я остановилась как вкопанная около "Женщины с вороной" Пикассо — никак не могла поверить, что такая грандиозная работа висит в такой глуши. А ты говорил:

— Ох, Иванчик, здесь в каждом городском музее таких шедевров — как грязи!

Там ты меня сфотографировал рядом с "Беатриче" Россетти и говорил, что я похожа на прерафаэлитскую музу Элизабет Сиддал. Эта фотография у меня есть — ничуть не похожа!

Я прилежно работала в библиотеке, штудировала литературу о танце модерн и об Айседоре Дункан. Меня изумили принтеры: всё необходимое можно было распечатать — так удобно!

Жилось нам в Америке легко. Ты вообще был на удивление легким в быту. Сейчас меня раздражает любая пылинка, недомытая чашка или брошенные не в том месте бумаги. Тогда я на это не обращала внимания. Я даже не помню, было ли у нас чисто, кто мыл полы, кто и как пылесосил. Наверное, ты незаметно брал на себя домашние заботы. Было ли в нашем американском домишке тихо, шумели ли машины за окном, слышали ли мы соседей? Не помню. Помню только, как мы сидели ночью в маленьком садике и говорили, говорили. Павел Лунгин, мой черногорский сосед, недавно сказал, что быт для его родителей был средством добывания радости из жизни. А мы быта просто не замечали.

Мой Сережа на быт реагирует болезненно. Мечется, задыхаясь, как огромный зверь, по моей парижской квартире, распахивает окна. Потом вскакивает и закрывает их, потому что с улицы несется гул туристов, бродящих вокруг Эйфелевой башни.

Распахивает снова — душно! Опять захлопывает — сквозняк!

Телевизор висит слишком низко, книжные полки — слишком высоко. Колонки слишком слабые, провода подключены через задницу. Мебель минималистская и безликая. Дверь холодильника открывается не в ту сторону, таблетки для посудомойки выбраны неправильно, заварочный чайник неудобный, чайные чашки маленькие. Ему необходим свой угол, куда можно забиться, иначе он чувствует себя неприкаянным.

— Обними меня, — повторяет он как заклинание. — Мне так спокойно, когда ты меня обнимаешь.

Сережа наивно полагает, что проблемы — снаружи, а значит, их можно разрешить. Ничего подобного — они у него внутри. И никуда от себя он не убежит, сколько бы ни метался из комнаты в комнату, из города в город, из страны в страну, преследуемый собственными демонами.

— Мам, он слишком сложный для простого парня, — сказала моя проницательная дочь.

В этом смысле ты был человеком трезвым. Твои демоны были повыше рангом. Ты знал, что живут они не в телевизоре и не в холодильнике, не в Америке и не в России, а в твоей душе. Вот почему тебе так мало надо было в бытовом смысле — ничто вокруг тебя не раздражало. Иногда ты шутливо говорил (много позже, читая детям Драгунского, я поняла, что это цитата из "Денискиных рассказов"):

— Иванчик, когда мы будем жить просторнее... — И добавлял что-нибудь забавное. Но простора нам хватало. Иррациональных депрессий, которым подвержен мой Сережа, у тебя не было. Ариадна Эфрон писала про свою мать: "Признававшая только экспрессии, никаких депрессий Марина не понимала", — так можно сказать и про тебя. Ты с удовольствием обустраивал дом — везде, где бы мы ни жили. Но глубокой потребности в этом у тебя не было. И если ты не спал до трех часов ночи, то не потому, что тебе мешали духота или уличный шум, а потому, что ты работал. Или говорил со мной.

А может быть, покуривая самокрутки с "Голуазом", ты просто болтал со своими демонами.

55.

8 сентября 2013

Я летела в Нью-Йорк. Из Боулинг-Грина мы улетали
на разных самолетах — тебе билет покупал фулбрайтовский фонд, мне — ты. Прилететь в *JFK* мы должны
были с разницей в час. Тебя встречал в Нью-Йорке
Миша Брашинский. А потом вы оба встречали меня.

Мишка был тебе больше чем друг. Он был парт-
нер, равный тебе и в страсти к кино, и в знаниях о нем.
Это было родство: не случайно вы называли друг друга
братками, браточками. У тебя было для него много
ласковых имен — Харитоша, Харитоныч, Шнобелёчек,
Инфантилыч. К тому же у вас обоих было блестящее
чувство юмора, только у него — *более едкое, более
злое, более циничное.*

Вы встретились, когда Мишка поступил в аспирантуру. Жадно, как оголодавшие вампиры, вы набро-
сились друг на друга, общались денно и нощно. Это
время я не застала, но хорошо представляю, как ты был
счастлив обрести конгениального собеседника. Вскоре
Мишка по исследовательской программе уехал
в Новый Орлеан и там женился на юной американке
по имени Элисон. Ты разглядывал цветные кодаковские
фотографии со свадьбы и говорил, что Брашинский
на них похож на брачного афериста.

Его отъезд ты пережил как серьезную утрату, но ваша связь не прервалась. Иногда он звонил — как бы дорого это ни стоило. Говорили вы по большей части о кино — кто что посмотрел, кто что прочитал, кто что хотел бы снимать. А еще вы переписывались — тоже всё больше о кино. Причем письма писали настоящие — от руки, отправляли их по почте, неделями ждали ответа. Часть этой переписки у меня сохранилась (Мишка собирался ее опубликовать, но что-то не сложилось).

Перед встречей с Брашинским я очень волновалась. Он был на год старше меня, считался самым одаренным студентом театроведческого факультета, занимался Мейерхольдом, его курсовые работы печатались в журналах и отправлялись на конкурсы. Он чем-то напоминал молодого Пушкина: был кудрявым, пылким, влюбчивым, дружил с высокой, коротко стриженной Аней Ивановой — уверенной в себе красавицей в тяжелых ботинках. В итоге он на ней женился. Ты всегда это предсказывал, он ведь ее снимал в своем любительском фильме по рассказу Кортасара — а значит, она была его девчонкой с причала.

Мишка умел одеваться с небрежной элегантностью — в богемные вещи на два размера больше. Он всегда на равных разговаривал с самыми умными профессорами. Когда встал вопрос о моей аспирантуре, одна из преподавательниц, вздохнув, сказала:

— Даже не знаю, с вашей фамилией... Но мы посмотрим, как решится вопрос с Мишей Брашинским. Если его примут, то и вас могут взять. Времена меняются.

Времена действительно менялись — приняли сначала Мишку с его пятым пунктом, а через год и меня —

с моей еврейской фамилией. Когда я стала Добротворской, ты шутил:

— Теперь можешь выдавать себя за члена общества
"Память", там у них у всех такие фамилии —
Любомудров, Полубояринова, Добротворская.

Так уж получилось, что мне удалось защититься
раньше Брашинского — его аспирантуру прервал его
роман с Америкой.

В институте мы с Мишкой общались мало, он был 195
для меня почти небожителем. Рядом с ним я комплек-
совала, а его статью из "Театральной жизни" про Грету
Гарбо знала наизусть.

Увидев Брашинского в аэропорту, я внутренне
сжалась, но в первое же мгновение поняла, что мы
с ним, как сейчас говорят, на одной волне. И что
он волнуется не меньше, чем я. И ты волнуешься,
поладим ли мы. Ты знал, как я умею отстранять людей,
которых не люблю. С Мишкой мы понимали друг
друга с полуслова, оказалось, что у нас сходная лексика,
сходный темперамент, сходная скорость реакции.
И я совсем не ревновала тебя к нему. Напротив,
радовалась, что он у тебя есть. У нас есть. Впрочем,
иногда мы с ним яростно ссорились, а однажды
на Бродвее мы поругались из-за какой-то глупой
мелочи так яростно, что я даже ударила его
коленкой по яйцам — почти всерьез. Ты пытался
нас успокоить, разводил, хватал за руки. Всё кончилось
хохотом, потому что наши ссоры были, конечно,
игрой.

На эскалаторе в *JFK* Мишка с пристрастием
оглядел меня:

— С длинными волосами было лучше.

Вы и здесь совпали во вкусах.

В Нью-Йорке мы с тобой жили в небольшой, но очень симпатичной квартире на 75-й Западной улице. Брашинскому с этой квартирой здорово повезло — потрясающее место в двух шагах от Центрального парка. Отличный старый дом — в таком жила Сара Джессика Паркер в *Sex in the City*. Платил он за эту студию сущие по тем временам копейки. Сам он перебрался на этот месяц сначала к своей американской девушке Нэнси (сколько помню Мишку, он всегда был влюблен — или в него кто-то влюблялся), а потом к приятелю — монтажеру Эвану Лотману. В свое время Лотмана выдвигали на "Оскара" за дерзкий монтаж "Экзорциста" Фридкина. Бумажка-номинация торжественно висела в рамочке на стене в прихожей. Эван монтировал "Выбор Софи" с Мэрил Стрип и "Презумпцию невиновности" с Харрисоном Фордом. Его жена Айлин только что выпустила роман под названием "Я и она". Замысел мне нравился — речь шла о сиамских сестрах-близнецах, одна из которых мучительно завидует другой, живущей радостной и полноценной жизнью — сексуальной и профессиональной. Но, как это часто бывает, идея оказалась интереснее результата, книжку я дочитать не смогла.

Лотманы жили в огромной по нашим понятиям квартире на 72-й улице, рядом с *Dakota House*. К Дакоте мы отправились в первый же день — Леннон был одним из твоих героев, и ты долго не мог поверить, что стоишь на том же месте, где стоял он в момент выстрела. Мне Дакота даже внешне казалась зловещим домом, но ты говорил, что это просто психологический монтажный трюк — эффект Кулешова.

Уезжая в отпуск, Эван и Айлин оставили кота, за которым Мишка обязался следить — совсем как героиня "Москвы слезам не верит", которую оставляют в роскошной сталинской высотке. В результате за котом следили мы втроем. В этой квартире с панорамным балконом и видом на парк и на Манхэттен мы провели много счастливых часов. Можно было подняться на крышу, устроить там пивную вечеринку, а можно было просто стоять и смотреть на город. Но самым потрясающим в квартире Лотманов была не огромная гостиная, не музыкальный центр, не шикарный балкон и даже не крыша, а коллекция видеокассет. Эван Лотман был членом Киноакадемии, ему присылали все фильмы, выдвигаемые на "Оскара" — для голосования. Мы могли смотреть их все — до того, как они вышли на экраны. Это были те самые копии, которые до сих пор попадают к пиратам с надписью *For Academy Members only*. Мы поглощали фильм за фильмом, развалившись втроем на супружеской постели, поставив на животы плошки с едой и напитки. Голодный кот с ненавистью сверкал на нас зелеными глазами. Моментами наша жизнь в этой квартире напоминала "Мечтателей" Бертолуччи, только без секса втроем. Мне так жаль, что я не могу показать тебе "Мечтателей", я знаю, что тебе бы понравилось. Я показывала их Сереже в один из наших первых совместных вечеров, но тогда ни он, ни я не могли сосредоточиться и то и дело отвлекались — друг на друга. На его лицо и на его губы мне хотелось смотреть больше, чем на экран. С тобой мы никогда не смотрели кино обнявшись. Кино — это таинство, соитие с экраном. Ты и поцелуи во время просмотра не выносил (мы, по-моему, только один раз с тобой целовались в кино, на идиотской раннеперестроечной комедии "Шашни старого козла", но там сам бог велел!). Кино — это серьезно, это требует полной отдачи. А с Сережей мы смотрим кино, обхватив друг друга. Или — взявшись за руки.

Брашинский подрабатывал официантом в респектабельном итальянском ресторане с красно-полосатыми скатертями. Для Штатов это было в порядке вещей, для нас — нечто экстраординарное.

Официантом? Как не стыдно? Сервильная работа, цепь унижений. Однажды днем я зашла к нему в ресторан. Есть там я не могла — дорого. Брашинский принес мне капучино, но рядом не присел — не положено. Он держался артистично и с достоинством. Именно тогда я поняла, почему многие начинающие актеры работают в Америке официантами.

Нью-Йорк очаровал и одновременно разочаровал нас. Небоскребы меньше, чем на картинках, и вообще всё какое-то камерное, почти домашнее, без футуристического размаха. Но от этого города било электричеством. Эти разряды мы оба почувствовали мгновенно. Как и то, что оказались в эпицентре главных мировых процессов.

В Нью-Йорке мы облазили и обошли всё. Было такое чувство, что наше пребывание в этом городе — чудо, игра случая и мы не окажемся здесь больше никогда. В каком-то смысле так и вышло — вдвоем мы в Нью-Йорк больше не попали, и в каждый мой следующий приезд я испытывала боль оттого, что без тебя здесь всё для меня поблекло (или прошла радость открытия Америки?).

Мы поднимались на Эмпайр-Стейт-Билдинг, исследовали башни-близнецы. Каждую неделю ходили в кино. Один раз купили ведро попкорна (в русских

кинотеатрах его еще не было), но ты быстро отставил
его в сторону — ну как можно смотреть и хрумкать!
Мы посмотрели первый "Юрский парк", который
только что вышел, и на него стояли очереди, *Guilty as
Sin* с Доном Джонсоном и Ребеккой де Морней,
смонтированный Эваном. Тогда я впервые увидела, как
киношники ждут утренних рецензий после премьеры,
как бегут за газетами, как подробно их изучают и как
расстраиваются из-за "плохой" критики. Сходили
в *New York City Ballet* на Баланчина — на самый
верхний ярус, куда билет стоил всего 10 долларов.
Тогда я толком не знала, кто такой Баланчин, — теперь,
бывая в Нью-Йорке, туда немедленно отправляюсь.
Ходили на джазовые и классические концерты,
на бродвейские мюзиклы, на авангардные спектакли.
Несколько раз ходили в Метрополитен и в *MOMA*.
Влюбились в маленький музей *Frik collection*. Тебе
нравилось название, ты называл меня маленьким
фриком, сравнивал с одной из героинь "Уродов" Теда
Броунинга, часто просил меня танцевать, как эта лысая
уродка в детском цветастом платьице, и неизменно
умилялся. Мы гуляли по *China Town*, по маленькой
Италии. Доехали даже до Гарлема, до легендарного
"Коттон Клуба". Но внутрь не зашли, а гулять по
улицам там было неуютно, я заныла и запросилась
обратно в такси. Однажды мы добрались на метро
до Бруклина — из этнографического интереса, поели
в русском ресторане блинов и пельменей, погуляли по
пляжу. Было смешно и грустно, как, вероятно, смешно
и грустно бывает всем русским, которые попадают
на Брайтон-Бич.

Мишка, как искушенный американец, водил нас
в разные рестораны. Суши мы не оценили, зато жирный

и сытный Китай шел на ура. Пицца с грибами
в ресторане Патрика Суэйзи показалась слишком
дорогой, но сам Патрик сидел с друзьями за соседним
столиком, так что денег было не жаль. Больше всего
нам нравился мексиканско-китайский ресторанчик
в районе 120-х улиц, где запекали сочную курицу
с пряностями. В конце ужина мы вскрывали *fortune
cookies* — вы оба любили трактовать смутные
пророчества. Мишка пытался приучить меня
к красному калифорнийскому вину, но для меня оно
было слишком терпким и кислым.

Мы говорили с ним о тебе. Однажды он сказал
почти с досадой:

— Ты, конечно, сыграла в его жизни огромную
роль. Я редко видел, чтобы люди так менялись.

Я улыбнулась:

— *Oscar winning role*?

Мишка посмотрел на меня серьезно:

— Именно. Но только я не знаю, хорошо ли это.

Конечно, это хорошо. Ты не пьешь, ты делаешь
блестящую карьеру, тебя всюду зовут — в жюри
фестивалей, в западные университеты, в критические
гильдии.

И ты любишь меня больше всего на свете. Что
здесь плохого?

56.

9 сентября 2013

Иванчик, в Нью-Йорке произошло кое-что, о чем
я тебе не рассказывала. Рассказывать особо было нечего,
ты и так всё понял. Но совесть меня всё равно мучает.
О чем я? О полуправде, которая хуже лжи.

В Нью-Йорке тогда жил и работал мой приятель
Алекс, друг и бизнес-партнер мужа моей сестры.
Оба они — Алекс и Костя — обладали той долей
авантюризма, которая постоянно толкала их на
какие-то глупые аферы. Продажа плодов папоротника,
спекуляция меховыми шапками, сбор клюквы,
изготовление бетонных ворот в прибалтийском
поселке (в этой авантюре даже я принимала участие).
Глупости эти плавно переросли в успешную торговлю
оптическими прицелами, и друзья быстро разбогатели.
Надо сказать, что все, кто тогда нажил большое
состояние, начинали с какой-то анекдотической
ерунды. Вообще, если человек в те годы фанатично
хотел заработать, он находил способ это сделать.
Отхватив огромные деньги, Алекс перебрался
в Нью-Йорк и вел дела оттуда. Раньше он был в меня
влюблен, но интересовал он меня мало, хотя казалось
бы: красивый, остроумный и в ближайшем будущем —
богатый. Но я была к нему равнодушна и почти

презирала, меня возбуждал только талант, за Алексом я его не признавала.

Алекс знал, что я в Нью-Йорке, он даже приезжал в *JFK* взглянуть на меня, когда я пересаживалась на самолет в Детройт. Он возмужал, американизировался, похорошел. Потом он несколько раз звонил, и в конце концов мы назначили свидание в Центральном парке, в *Tavern on the Green*.

— Налегай на *sea food*, — сказал он. — Ты ведь скоро вернешься в Питер и ничего этого там не найдешь.

Я налегала на *sea food*, а также налегала на коктейли под названием *Sex on the Beach*. Напилась до головокружения. В роли успешного американца Алекс привлекал меня куда больше, чем в Москве. Богатый, сведущий. И высокий. Высокий! Целоваться мы начали еще в ресторане, потом целовались в парке — и оба были готовы к сексу на пляже. Удержалась я каким-то чудом.

— Я люблю тебя, — шептал он. А я, дура, упивалась этими словами, потому что ты мне так редко их говорил. Конечно, я знала, что ты меня любишь, а всё же мне хотелось это слышать.

— Я тебя не люблю, — шептала я, с удовольствием пробуя на вкус слово "люблю" и протягивая ему губы. Приподнималась для поцелуя на цыпочки: боже, какое забытое чувство — тянуться вверх для поцелуя. Сейчас я так тянусь к губам Сережи, который выше меня на голову. Губы Алекса были большими, нежными, мягкими и податливыми. Не похожими на твои — узкие, плотно сжатые, сухие.

— Я люблю мужа, знаешь. Мне нужно домой, он меня ждет.

— Ты такая красивая с этими короткими волосами. Я всегда тебя любил и всегда тебя ждал.

— Отведи меня домой. Пожалуйста.

Алекс довел меня до дверей Мишкиного дома на 75-й улице. Страстно поцеловавшись на прощание, мы расстались. Шатаясь, я поднялась по лестнице и позвонила в квартиру. Ты открыл, серый от волнения, — я опоздала почти на два часа. Разумеется, не предупредила. А как предупредить? Мы должны были идти в квартиру Лотманов — Брашинский устраивал вечеринку в честь знакомого писателя-фантаста. Ты, прищурившись, смерил меня холодным взглядом, мгновенно оценив мое состояние. Ты знал, что я ходила встречаться с Алексом, врать тебе я была не готова.

— Иванчик, не сердись, я совсем пьяная, — пролепетала я.

— Я вижу, — спокойно сказал ты. И повел меня в спальню. Вытащил из шкафа сапоги на каблуках и чулки, приказал:

— Надень!

Я послушно надела. Ты резко опрокинул меня на кровать. Секс был жесткий, быстрый, без поцелуев и без слов. Твои глаза были закрыты, а когда ты открыл их, то посмотрел на меня, лежащую в этих дурацких сапогах и кружевных чулках, почти брезгливо. Никогда я не видела тебя таким чужим и таким грубым. Ты холодно сказал:

— Быстро вставай и одевайся. Нам пора.

Я хотела объяснить тебе, что ничего не было, что я просто выпила лишнего, но ты не стал слушать. В тот вечер мы почти не разговаривали, ты оживленно болтал с фантастом, кокетничал с Нэнси и в мою сторону не смотрел. На следующий день всё вернулось на круги своя: ты опять был любящим, веселым и спокойным. Но я уже видела в тебе "другого", мистера Хайда. В детстве я увлекалась книгой про Ирину Бугримову и хотела стать дрессировщицей львов. В тот день я почувствовала, что тебя укротить не получится — рано или поздно ласковый и нежный зверь набросится на хозяина.

Именно тогда я стала догадываться, что переоценила свои силы.

Ночь с 10 на 11 сентября 2013

Я до сих пор не могу понять, был ли ты ревнив?
Сейчас я думаю, что да, был, и даже очень.
Ты никогда не осуждал мое кокетство, никогда
не делал мне замечаний, никогда не вспоминал
прошлое. Тебе было неприятно, когда я вспоминала
Марковича, но это была другая ревность,
интеллектуальная. К тому же природа твоего
эротизма была такова, что возбуждала тебя женская
неверность (попросту — блядство). Доверял ли ты
мне? Наверняка доверял — особенно вначале.
Но хотел бы ты меня, если б доверял мне безоговорочно? Не знаю, Иванчик.

С Сережей совсем по-другому. В первые дни он
заявил мне, что не ревнив. Довольно скоро я поняла,
что доверять он не умеет и всегда, внутренне сжавшись,
ждет предательства. Постепенно я открывала всю
степень его ревности, замешанной на подростковых
комплексах. В Париже я повела его в гости к моему
приятелю, с которым мы знакомы сто лет. По праву
старой дружбы мы сидели рядом, обнимались, хохотали
и шутя кокетничали. Сережа сидел за столом напротив
нас, вежливо улыбался и поддерживал светский
разговор, но, как только мы с ним вышли за дверь,

окаменел и не взял мою руку, привычно скользнувшую в его ладонь.

— Что случилось? — удивилась я.

Красавица жена моего приятеля тоже сидела с нами за столом. И никому из нас, кроме Сережи, и в голову не пришло, что происходит что-то выходящее за пределы нежных дружеских отношений.

— Если ты считаешь, что ничего не случилось, то нам не о чем говорить, — резко сказал он. — Ты весь вечер обнималась с ним и почти не смотрела на меня.

— Господи, но это же ничего не значит! Это по-дружески. Все так делают.

— Если ты называешь это дружбой, то я про такую дружбу ничего не понимаю. Я вижу только то, что я вижу. Если ты пришла со мной, ты должна быть со мной. А ты ни разу ко мне не подошла и ни разу ко мне не прикоснулась.

Что за дурацкие инфантильные комплексы?

А вдруг Сережа прав? Мы привыкли думать, что все эти светские тактильные контакты, поцелуи, поглаживания и объятия ничего не значат. А если значат? Может быть, я должна демонстрировать всему миру, кто здесь мой мужчина? С тех пор я всегда с Сережей осторожна. Держу за руку, сажусь рядом, стараюсь показать всем вокруг, что я принадлежу только ему. В этом есть что-то патриархальное, и моментами мне это даже нравится. Но только моментами.

Ты никогда не устроил бы мне такую сцену. А вдруг ты думал так же? Но не хотел или не решался в этом признаться?

Или для тебя ревность была неотделима от желания, зависимость — от любви, доверие — от унижения?

58

Иван, я часто вспоминаю концерт Паваротти
в Центральном парке. Вроде ничего особенного в тот
день не произошло. И все-таки что-то в нем было
щемящее, тревожное. Но что именно?

Это было перед нашим отъездом в Питер.
Паваротти должен был петь в Центральном парке. Мы
решили пойти. Ну во-первых, Паваротти. Когда и где
мы его еще послушаем? Во-вторых, Центральный парк,
который мы обожаем. В третьих, просто приключение,
разве нет?

Мы отправились в парк пораньше, сразу после
обеда, чтобы подобраться поближе к сцене и занять
лучшие места. Не тут-то было: самые умные дежурили
с ночи. Мы, захватившие плед и сумку с бутербродами
и водой, смогли устроиться только на отшибе. Сцены
было не видно. Мы обвязали головы красными
банданами, купили у негров футболки *Pavarotti in the
Park* (днем их продавали за 15 долларов, ночью —
за полтора), расстелили плед, разложили еду. Провели
так часа четыре — в ожидании концерта, подпираемые
со всех сторон людьми, тоже пришедшими на встречу
с прекрасным. Скучно нам не было, нам вообще не
бывало скучно друг с другом. Ты вспоминал Вудсток

и рассказывал про детей цветов и про шестьдесят восьмой год. Ты шутил и дурачился, но глаза у тебя были грустными. Казалось, ты знаешь, как сделать этот день прекрасным, но не можешь. Да, нам хорошо, и мы весело болтаем, прихлебывая кока-колу. Но ведь могло быть настоящее приключение, настоящее путешествие, настоящий опыт, настоящий Вудсток! Ну что для этого нужно, догадайся с трех раз? Уж конечно, не кока-кола.

Я фантазирую? Ты не думал ни о чем таком? Был просто счастлив валяться на траве со мной и с Мишкой в ожидании божественного пения из ниоткуда? Или все-таки думал? Теперь уж не узнать.

Наконец откуда-то издалека раздался едва слышный голос Паваротти. С первых нот стало ясно, что можно сворачивать плед и уходить — мы ничего не увидим и не услышим. Мы с трудом вырвались из толпы и вышли из парка. Молча брели по вечерним улицам.

— *Pavarotti*, — начал Мишка, подходя к дому. — *Belle canto! Bellissimo!*

Ты — вопреки обыкновению — не подал ему ответную реплику, не вступил в словесную игру. Мы опять замолчали. На следующий день тебе предстояло возвращаться в Питер. Я должна была вылететь на день позже.

Good bye, America.

12 сентября 2013

Как я ненавижу вспоминать историю нашего возвращения из Америки! Ты тоже не хотел об этом говорить. Но мы оба знали, что это возвращение сыграло в нашей жизни роковую роль. Ты никогда не употребил бы слово "роковую". Ну хорошо, а какую тогда?

За четыре месяца ты заработал в Америке 10 тысяч долларов. В 1992 году это было целое состояние. Примерно половину из них мы везли с собой в Питер с туманными планами как-то улучшить наше жилье, "жить просторнее". Другую половину потратили на жизнь в Америке, на мои перелеты, на еду и на вещи, конечно. Купили несколько пар ботинок и кроссовок. Ты обожал хорошую обувь, тщательно за ней ухаживал и трясся над каждой парой. Купили по кожаной куртке (тебе коричневую, а мне — черную), рубашки, футболки, туфли, плащи, юбки, блузки, свитера, уже толком не помню что. Ну и очередной громадный серый матерчатый чемодан с дешевой 14-й улицы.

А еще мы купили телевизор, музыкальный центр, продвинутый видеомагнитофон, какие-то супер-наушники, множество видео- и аудиокассет. Всё самое ценное, прежде всего аппаратуру, должен был везти ты — все-таки ты летел не каким-то жалким

"Аэрофлотом", а "Дельтой", а там уж точно не украдут. Мне достались одежда, духи, косметика, часть обуви, орешки, книжки и бумажки. Ничего особо важного.

Ты благополучно улетел. Кажется, даже позвонил Брашинскому, когда добрался до дома. На следующий день Мишка отвез меня в аэропорт. Мы обнялись:

— Пока, Каришонок, — сказал он. — Береги моего братка.

Самолет нормально взлетел, но минут через сорок по проходу забегали стюардессы, зажглись аварийные лампочки, и капитан сказал, что мы возвращаемся в *JFK* — из-за каких-то технических неисправностей. Вскоре выяснилось, что у самолета не убрались шасси. Было непонятно, насколько они повреждены и как нам удастся сесть. Началась паника. Стюардессы разносили лекарства, кто-то рыдал, кто-то молился. Меня удивило, что мужчины психовали больше женщин. Я оставалась совершенно спокойной — почему-то была уверена, что ничего страшного не случится и мы благополучно сядем. Подумаешь, шасси! Не крыло же отвалилось. Но приземление оказалось долгим и утомительным. Мы несколько часов кружили над *JFK*, чтобы выгорело всё горючее. Летное поле было уставлено скорыми и всяческими аварийками с мигалками, что не способствовало душевному спокойствию. Когда мы наконец сели, всех изрядно мутило.

Нас довольно долго держали в *JFK*, искали другой самолет. Не нашли. Выдали ваучеры на еду и отправили в гостиницу при аэропорте. Мы провели там дня полтора, пока не починили наш самолет. Многие отказались на нем лететь — типа достаточно настрадались. "Шасси, наверное, скотчем примотали", — мрачно пошутил небритый дядька. Мне было всё равно, я хотела домой. Как назло, я никому не могла дозвониться — ни Мишке, ни моим или твоим родителям (было лето, все сидели на дачах). А у тебя телефона не было. Только к концу первых суток я застала отца и быстро сказала ему, что происходит.

Прилетела я с опозданием на два дня. Ты встречал меня вместе с моим папой, бросился ко мне и непривычно порывисто обнял. Несколько секунд постоял, прижимая меня к себе. С черным лицом, с синяками под испуганными растерянными глазами. Я решила, что ты психуешь из-за того, что мог меня потерять. Любой психовал бы, разве нет? Ты что-то говорил о том, как вы с папой приехали меня встречать в Пулково и только там узнали о неполадках с самолетом. Почти сутки вас держали в подвешенном состоянии.

Папа доехал с нами на автобусе до города, потом пересел в метро. А мы с тобой поехали дальше — к нам, на Васильевский.

— Иванчик, я должен тебе сказать... — начал ты.

— Что-то случилось?

— Нет. То есть — да... Нас обокрали.

— Обокрали? Как это?

— Залезли в окно и унесли почти всё, что я привез.

— А как залезли? Кто? Когда?

— Боюсь, что это я виноват. Ты прости меня, ладно? Я идиот, дурак, козел. Но я так испугался за тебя, что совсем не соображал, что делаю. Если бы ты знала, как я себя ненавижу.

Сердце у меня упало. Я сразу всё поняла.

— Ты пил?

— Да. Прости меня. Я не мог вынести мысли, что с тобой что-то случилось.

Я закрыла лицо руками. Мне казалось, что я сейчас умру. Видеть тебя и говорить с тобой я не хотела. Ты хватал меня за руки, пытался отнять их от лица и заглянуть в глаза, что-то лихорадочно говорил. У меня текли слезы сквозь пальцы, я могла только мотать головой.

История произошла банальная. Ты вернулся, аккуратно разложил привезенные сокровища, встретился с Трофимом и Мурзенко, отпраздновал свое возвращение, не выпив при этом ни капли. Когда пришел час Х, отправился меня встречать. Не дождавшись, весь на взводе от беспокойства, вернулся в ночи домой. Дальше всё пошло по формуле, которую ты вывел в статье про русское пьянство, — "разжигание хаоса как способ изживания клаустрофобии". На улице перед домом ты встретил компанию молодых парней: "Они были ужасно симпатичные, правда!" Зацепился с ними языком, пригласил к себе. Наверное, вы купили выпивку в ларьке, я уже не помню деталей. Ты устроил для этих мальчишек свой обычный моноспектакль. Хвастался привезенной аппаратурой и американскими шмотками. Учил их жить, рассказывал про Америку и про всех романтических героев сразу. Упивался их восторгами, их открытыми ртами, их горящими глазами — восхищение молодых людей было одним из твоих наркотиков. Хорошо представляю твое эйфорическое опьянение после двухлетнего воздержания. В какой-то момент парни ушли, а ты отправился к Трофименкову — звонить в Пулково и, наверное, продолжать пить. Вернувшись, ты обнаружил, что наше окно на первом этаже разбито и распахнуто. Вся аппаратура и большая часть шмоток исчезли. Деньги, к счастью,

не нашли, у тебя хватило ума ими не хвастаться.
В милицию ты, конечно, заявил, но менты сразу
сказали, что вернуть ничего не удастся — вещи,
скорей всего, уже продали.

— Я не понимаю, как они могли так поступить.
Они меня так слушали... Учителем называли. Мне казалось, что я их сознание сейчас изменю. Всю их жизнь
изменю. Устроил этот театр, тащился от себя, как
последний идиот! — говорил ты.

На следующий день после моего возвращения
двое из этих ребят позвонили в нашу дверь. Топтались
с тобой на пороге, извинялись, мямлили, что не хотели,
но не могли удержаться — слишком большой соблазн.
Нет, вернуть не могут, всё уже ушло, сами понимаете,
учитель. Я слушала, как ты что-то втолковывал им,
не повышая голоса. Опять в роли ментора. Потом
говорил мне:

— Они вообще-то хорошие ребята.

Я отворачивалась, смотрела в разбитое окно.

Сейчас я понимаю, что напрасно устроила из
омерзительного происшествия семейную драму
и напрасно переживала твой запой как крушение.
Однажды ты, рассуждая на круглом столе о табуиро-
ванности жанра в советском кино, сказал: "Культура,
как и человек, не может существовать без простейших
физиологических отправлений. Если тебе не дают
справить нужду в унитаз, ты найдешь какую-нибудь
вазу. В конце концов ты пописаешь в штаны".

Это с тобой и произошло. Ты пописал в штаны —
потому что я выставила слишком много запретов. Мне
казалось, что я достойна таких жертв. Но дело не в том,
кто чего достоин. Просто запреты хочется нарушать.
Всегда. Я этого не понимала. У меня не хватило

жизненного опыта, душевной чуткости, способности прощать, а главное, просто любви, чтобы всё это смягчить, сгладить, ослабить накал, обнять тебя и сказать:

— Ладно, Иванчик, с кем не бывает, прорвемся!

А ведь это был твой способ справиться с отчаянием, с беспокойством за меня, с шоком от возвращения домой. С самой жизнью, полной запретов и страхов. Но мне нужна была полная и окончательная победа — над тобой и твоим прошлым. Компромиссов я не признавала.

На окно мы поставили решетку — и с тех пор жили как в тюрьме. Я заявила, что не хочу и не могу оставаться в этой квартире — она осквернена. Ты послушно начал процесс обмена — благо у нас теперь были деньги для доплаты, пять тысяч долларов. Нет, чуть меньше, потому что несколько сотен мы потратили на новый видеомагнитофон. Мы могли прожить без чего угодно, в том числе без красивых ботинок.

Без ежедневной дозы кино мы прожить не могли.

60.

17 сентября 2013

215

Иванчик, я так отчаянно хотела новую квартиру. Наивно верила, что можно сбежать от проблем, съехав из старой — нехорошей — квартиры с решетками на окнах. Верила точно так, как сейчас верит Сережа: убежать из страны, убежать из города, убежать от скучной работы. Как будто смена декораций изменит ход пьесы.

На единственное объявление в бесплатной газете о том, что мы меняем нашу однушку на Васильевском на двушку в центре с доплатой, откликнулся только один человек. Именно с ним мы в итоге и обменялись. Это было похоже на чудо: мы до последнего не верили, что обмен случится. Думаю, что нашу квартиру на улице Правды материализовала моя энергия желания.

Подвернувшийся вариант оказался на редкость удачным. Большая (целых сорок с лишним метров) светлая двухкомнатная квартира на улице Правды (через несколько лет Леша Тарханов окрестил ее "улицей моей правды"). В двух шагах от метро "Владимирская", недалеко от института на Моховой, в пятнадцати минутах ходьбы от Дома кино и от театров. С окнами в тихий и чистый двор, с балконом и даже с окном в коридоре. И — с телефоном! С телефоном! Не может быть.

В день переезда я заболела гриппом (организм ловко увильнул от лишних забот), лежала в квартире твоих родителей с температурой и читала лагерные воспоминания Тамары Петкевич.

Ты мобилизовал на переезд друзей и соратников. Грузовик пригнали с "Ленфильма", а мебель таскали Пежемский, Трофименков, Мурзенко, Попов, Юфит, преподаватели с Моховой, питерские режиссеры, журналисты, научные сотрудники с Исаакиевской. Твой отец сказал, что никогда не видел такой интеллигентной бригады грузчиков. Внезапно выздоровевшая, я приехала вечером в нашу новую квартиру, где праздновали новоселье. Мы сидели обнявшись. Ты казался безоблачно счастливым и нежно влюбленным — как будто мы встретились вчера.

Мы думали, что на улице Правды начнется новая жизнь.

С каким энтузиазмом мы взялись за нашу новую квартиру! Денег у нас не осталось, так что ни о какой ремонтной бригаде речь не шла. Ремонт делали, как ты говорил, "руками жениха". Сами красили стены и мебель, клеили обои, укладывали плитку в сортире — почему-то черного цвета. Она там до сих пор черная. Вообще-то на Правды почти ничего не изменилось: всё те же книжки, всё те же пыльные видеокассеты на полках в твоей комнате. (Кто сейчас смотрит видеокассеты?) Только на всех стенах висят твои портреты в рамочках. А за стеклами книжных шкафов появились фотографии детей, рожденных твоими женщинами — от других мужчин. Там есть и мои Ваня с Соней. О чем думают твои родители, когда на них смотрят? О том, что эти дети могли быть их внуками? Или они просто любят их, потому что им хочется любить, потому что наше родство — это больше, чем общая кровь, и потому что в этих детях есть кусочек тебя. Мне там больно бывать. Родители превратили Правду в какую-то мемориальную квартиру, а там давно уже пора сделать ремонт.

В том, с каким азартом ты тогда занялся жильем, была вера в наше будущее, в долгую счастливую жизнь. Я недавно пересмотрела этот фильм Шпаликова и поняла, почему он (по слухам) потряс Антониони — это едва ли не самая отчаянная и безнадежная картина о том, как дневной свет убивает ночную любовную магию, как страх убивает любовь, как жизнь убивает любовь, и о том, как любовь убивает сама себя. (Вот и этим теперь не с кем поделиться.)

Ты вил семейное гнездо. Мы вили гнездо. Эпизод с возвращением из Америки и ограблением квартиры на Васильевском мы замуровали в дальних углах памяти.

Мебель закупили в комиссионке на Марата. Не антикварную, конечно, а советскую или югославскую, самую дешевую. Шкаф и стол сами выкрасили черной краской. Книжные полки — белой. Получилось неплохо. Гостиная была одновременно и спальней, и столовой, и моим кабинетом. У тебя была своя комната — крошечная, но своя! Там стояли стол с пишущей машинкой (чуть позже — с компьютером), телевизор с видиком, книжные полки и — кровать. Всё чаще мы спали отдельно. Я плохо реагировала на тебя, спящего рядом, просыпалась даже от твоего дыхания. Не выносила намека на храп, заворачивалась в отдельное одеяло, отодвигалась к самому краю дивана и обозначала водораздел. Когда появилась возможность отложить тебя в отдельную комнату, я ею быстро воспользовалась. Поначалу тебя это обижало, но потом ты привык и перестал спорить. Секса стало меньше, но запас черных чулок с подвязками и кружевного белья регулярно пополнялся.

С моим Сережей и нашей попыткой спать вместе произошла похожая история, только на ускоренной перемотке. Мне нравилось просыпаться рядом с ним, целовать его, слышать его сонное: "М-м-м". Но сплю я с ним плохо, тревожно, просыпаюсь рано. Он тоже не спит, боится пошевелиться и меня потревожить, встает, бродит по квартире. В конце концов мы стали спать в разных комнатах. Сережу это задело, он считает, что между близкими людьми возникает доверие, которое позволяет расслабляться и спокойно засыпать в объятиях друг друга. Ох, не знаю ничего про доверие. Зато знаю, что, когда есть возможность спать отдельно, удобнее спать отдельно. По крайней мере есть шанс выспаться. А может быть, я просто нервная эгоистка.

Какое счастье было жить в квартире с телефоном! Невероятно! Можно кому угодно позвонить, обо всем договориться заранее. Никаких неожиданных визитов, никаких сюрпризов. Свобода или зависимость? Какая разница. Удобно.

Жизнь потекла спокойно и предсказуемо. Мы оба читали лекции, писали статьи — тебе их заказывали всё чаще и чаще, ты становился знаменитым критиком. Ты работал для "Коммерсанта", я тоже понемногу начала для него писать — о питерских театрах. Почти каждый вечер к нам приходили гости — то Трофим, то Мурзенко, то Макс Пежемский. Он, называвший тебя "Николаевич" и делавший стремительную карьеру, подпитывался твоими идеями и твоей энергией. Ты не пил. Мне казалось, ты не страдал от этого и не искал вазу, чтобы в нее пописать. Мы превращались в нормальную семью.

Но я больше не могла забеременеть.

А ты в глубине души не выносил ничего нормального.

61.

Сначала мы всё делали вместе, всё. Не бывало такого, чтобы кто-то приходил в гости ко мне, а ты ретировался бы в свою комнату. Или наоборот. Даже в магазин мы часто ходили вместе.

Но постепенно наши жизни обретали отдельность. Ты долго сидел на кухне — с друзьями или учениками (в твоем случае это было почти всегда одно и то же), а я уходила к себе — читать. Я шла в театр — ты оставался дома, ссылаясь на то, что театра выносить больше не можешь. На "Ленфильм" или в "Сеанс" ты отправлялся почти всегда один, в театральной библиотеке или в Публичке я тоже, конечно, сидела одна. Я любила библиотеки, ты — нет. В архивах ты быстро начинал задыхаться, тебе необходимо было слышать живые голоса и видеть жадные глаза.

Иногда я играла по ночам в преферанс. Ко мне в квартиру на Васильевском приходили Трофим, Лёнька Попов и его приятель из "Коммерсанта" Миша Каган. Ты пытался играть вместе с нами, но вполсилы, неохотно — карты тебя не увлекали. Я испытывала от игры удовольствие, хотя никогда не была хорошим игроком. Мне нравилась не столько игра ума, сколько игра случая. К тому же мы играли на деньги, это было опасно и азартно.

Мы сидели за "пулькой" на кухне иногда до самого рассвета. Пили кофе, Трофим и Миша курили. Под утро ты, заспанный, выходил к нам:

— Господи, вы всё еще играете?! Не надоело?

— Поиграешь с нами?

— Правда, Николаевич, присоединяйтесь!

— Ох уж нет, вы как-нибудь без меня, ладно? Давай, Иванчик, не проиграй наш дом. Я пойду попишу.

Ты не поверил бы, но несколько раз в году я играю в казино. Играю всегда, когда оказываюсь там, где оно есть. В Монте-Карло, в Ницце, в Венеции, в Довиле. Играю не в рулетку. Рулетку ты понял бы — так много мифов вокруг нее. А за миф и за стиль ты прощал всё. Но нет, я играю в тупых одноруких бандитов, потому что меня не интересует выигрыш, мне интересен — по-прежнему — случай. Я жду улыбки судьбы. Жду какого-то загадочного контакта с бездушным автоматом. Уверена, что игроки понимают, о чем я говорю.

Не так давно мы с Сережей ездили на машине в Довиль и зашли там в казино *Barriere*. Это было первое казино в его жизни. Он, конечно, сразу рванулся к рулетке, но, увидев, как я брожу между автоматами, отыскивая свой, покорно пошел за мной. За годы игры я выработала свою систему. Я не жду выигрыша. То есть жду, конечно, но изначально смиряюсь с проигрышем, на который в уме отвожу определенную сумму, например триста евро. Эти триста евро я расцениваю как адекватную плату за несколько часов острого удовольствия. Мы же платим деньги за острые удовольствия? Так почему бы не в казино? Таким образом, я никогда не считаю эти деньги потерянными. А если еще и выигрываю — совсем здорово.

Сережа быстро понял, что такое связь с одноруким бандитом, нашел свой автомат и надолго за ним устроился. Программист и компьютерщик, он пытался найти какую-то системную закономерность, но вскоре, отключив мозги, отдался случаю. Как многие начинающие, он стремительно выиграл. Коварство казино состоит в том, что выигрываешь, как правило, в первые несколько минут, когда еще не успел насладиться и когда смертельно жаль останавливаться. Так что он продолжил, проиграл и всю обратную дорогу мучительно жалел о потерянных деньгах.

— Ну почему ты меня не остановила?

— Но ты ведь пришел не выиграть, а испытать драйв, получить удовольствие. Разве ты его не получил? Если бы я тебя остановила, у тебя кроме денег ничего бы не осталось.

— Деньги в руках — для тебя это, может, и ерунда.

Он надулся и замолчал. Деньги — больная тема, которой лучше не касаться.

А ты ходил бы со мной в казино? Мне кажется, что ты никогда не стал бы игроком. Может быть, сыграл бы рядом со мной несколько раз, за компанию, не втягиваясь. Ты меня, безусловно, понял бы — ты уважал чужие мании. Но игры у тебя были другие. Однажды ты написал про Че Гевару: "Романтик герильи, тусовщик именем революции, он играл только в опасные игры — в пятнашки с пулями и в прятки со смертью.

Эти игры не знают правил, и победителей в них не бывает".

62.

25 сентября 2013

Привет! Сегодня мой день рождения. Встречаю его в Венеции, всё утро бродила по павильонам Венецианской биеннале, а потом по кладбищу Сан-Микеле. На могиле Бродского лежит запечатанное письмо в конверте с маркой и обратным адресом — Калуга, индекс такой-то, улица такая-то, Наташе такой-то. Не одна я пишу в никуда.

В Венеции, как, впрочем, и в других европейских городах, мы с тобой никогда не были. То есть были, конечно — когда смотрели "Смерть в Венеции", "Казанову" или третьего "Индиану Джонса".

Так получилось, что мы никогда не были в Венеции Николаса Роуга. Его странная несовершенная картина "А теперь не смотри" — самая близкая тебе по духу из всех венецианских фильмов. Нарастающая атмосфера липкого ужаса, это красное пятно, зловеще возникающее на смрадных узких улочках, психоделический монтаж, разрывающий время и пространство на куски, — всё это впитал в себя наш любимый Линч. Кино, атакующее все органы чувств. Твое кино на ощупь. В этом фильме Роуга — одна из лучших сексуальных сцен всех времен. Дональд Сазерленд (брюки клеш, усы подковой и кошмарные бакенбарды — разумеется, это ведь начало семидесятых) и Джули Кристи (надменное лицо, царственная осанка и обреченные затравленные глаза — разумеется, это ведь Джули Кристи). Эта сцена любви между мужем и женой такая реалистичная и осязаемая, что стыдно смотреть на экран, но при этом она полна привычной нежности, когда досконально знаешь, как играть на теле любимого человека — на теле, которое ты изучил до мельчайших подробностей и содроганий. Но гармония эта мнимая — сцена разбита монтажом. Сазерленд и Кристи еще вместе — и уже не вместе, еще сцеплены в объятиях — и уже разделены, наслаждение позади, а в настоящем и в будущем — ужас от потери дочери, ужас от караулящей их смерти в красном, ужас от невозможности никого воскресить.

Какая-то бесконечная прогулка по набережной Неисцелимых.

Показывала недавно этот фильм Сереже. Когда дошли до любовной сцены, он сказал: "Ну конечно, тогда ведь был расцвет порноиндустрии — и приемы почти те же. А еще — похоже на «Эмманюэль»".

Я обиделась за Роуга, за Сазерленда с его дурацкой прической, за Кристи с ее шерстяными юбками, за их мертвую дочь в красном плаще, за нас с тобой, которые уже не вместе, но еще вместе. Развернула его от экрана.

Don't look now. А теперь не смотри.

63.

26 сентября 2013

Иван! Сегодня напишу тебе о том, о чем не могу вспоминать без стыда и боли. О Груше и Боне. О чем я вообще могу вспоминать без стыда и боли?

Ты не хотел заводить животных. Чувствовал, что при всей моей собранности и обязательности заниматься ими придется тебе. Знал, что у меня не хватит на них душевных сил. Что у меня их и на людей-то не хватает. Так родители знают, что если купят ребенку собаку, то гулять с ней придется им — несмотря на все его страшные клятвы, — и до последнего избегают груза ответственности. До тех пор, пока их не загонят в угол. Или пока в них самих не проснется ребенок.

— Обожаю голых кошек, они прекрасны, похожи на Йоду! А давай возьмем датского дога? Полулошадь, полусобака. Посмотри, какой роскошный скотч-терьер, я назвала бы его Чаплином!

На все мои возгласы ты отвечал фразой, которую мы однажды услышали на улице — мамаша волокла завывающего ребенка: "Никаких хомяков!"

— Ни-ка-ких хомяков, Иван! — шутливо, но жестко пресекал ты мое нытье. Но после моих выкидышей ты смягчился, решив, что котенок или щенок помогут мне смириться с болью. А может, ты просто устал со мной спорить.

Так у нас появилась Груша. Кошка моих приятелей родила котят — угольно-черного и голубовато-серого. Беспородные, но красивые. Шла я за черным котом-мальчиком, взяла серую девочку, крохотную, изящную, которую мы назвали Гретой. В честь Гарбо, разумеется. Через несколько дней переименовали ее в Грушу, Грушеньку — имя "Грета" было слишком претенциозным и парфюмерным.

Я обрушила на нее всю свою неизрасходованную нежность. Она спала в нашей кровати, мы бесконечно таскали ее на руках. Даже когда Груша выросла, она осталась совсем миниатюрной, почти карликовой. Она была красавицей, ее легко можно было принять за русскую голубую. Ты ее обожал, восхищался ее равнодушием ко всему и царственностью. Свое достоинство она теряла только весной, когда хотела кота. Ты строго говорил ей: "Груша, проститутка! Не унижайся!" Как ни странно, это помогало — но ненадолго.

Вскоре у нас появился Боня — огромный четырехмесячный щенок-ньюфаундленд. Нашла я его по объявлению в газете. Во внушительной родословной его торжественно звали Джеймсом Бондом. Мне стоило задуматься, почему он остался последним некупленным щенком в помете, и вообще следовало с кем-то посоветоваться, прежде чем брать в малогабаритную квартиру собаку такой сложной породы. Но я — по обыкновению — действовала как одержимая. Ни ждать, ни сопротивляться своему страстному желанию я не могла. Заплатив 350 долларов, я увезла огромного ласкового щенка с медвежьими лапами домой, на улицу своей правды.

Груша зашипела и выгнула спину. Они с Боней так и не приняли друг друга. Боня, как конь, преследовал ее по всей квартире, она бесстрашно шлепала его по морде крохотными лапками. Боня мог убить ее одним ударом, но при этом испытывал к ней необъяснимую привязанность. Иногда они спали вместе — и это была трогательная картина: ньюфаундленд-переросток и кошка-карлица. Ты растерялся, увидев Боню, но не мог сопротивляться его глуповатому добродушному обаянию. Его немыслимые размеры нас обоих восхищали. Когда мы выводили его гулять и он мчался по лестнице, натягивая поводок и рискуя нас опрокинуть, соседи отшатывались: "Собака соседских Баскервилей".

Боня ел ведрами. Приходилось ежедневно таскать ему мясо, собачий корм, молоко, пачки овсянки. С прогулки в парке вокруг ТЮЗа он приходил весь грязный, шлепал по комнатам, оставляя следы. Тыкался слюнявой мордой нам в ноги. Мы одевались в черное, так что на одежде всегда оставались следы его слюней. Боня бросался на гостей и валил их с ног. Попрошайничал, когда мы обедали. Клал морду на стол, вокруг головы разливалась лужица слюней. Но в нем было столько радостного восхищения жизнью и столько безусловной любви, что мы всё ему прощали. Ты ласково называл его Ибанько или Ибаняном. А потом выяснилось, что Боня болен, как, между прочим, каждый второй ньюф в России. У него была тяжелая форма дисплазии тазобедренных суставов. Чем больше он становился (а рос он не по дням, а по часам и весил девяносто килограммов), тем сильнее была нагрузка на суставы. К моменту, когда Боне исполнился год, он уже с трудом ходил, виляя задом и прихрамывая.

Я страдала. И не только потому, что мне до слез было жалко Боню, но и из-за низменного желания, чтобы всё у меня было самым лучшим, совершенным. От мужа до собаки. Муж — отличный и любимый, но такой маленький. А собака — породистая и преданная, но такая больная. Хромота, мучения, дурацкие советы прохожих. Мелькала предательская мысль: "Лучше б его вовсе не было".

Сережа мечтает завести лабрадора — когда наконец бросит свою нелепую кочевую жизнь и осядет на одном месте. Порой он напоминает мне Боню — огромный, неловкий, с мягкими руками-лапами, с надрывающим сердце взглядом, с вечной потребностью в ласке и в сахаре. И с ним — как когда-то с Боней, как когда-то с тобой — я ловлю себя на тех же мыслишках: он, конечно, замечательный, красивый, высокий, любящий, отдающий... Но вот если бы был пообразованнее, поуспешнее, поизящнее, поостроумнее, поувереннее... А ведь, казалось бы, столько лет прошло — пора бы научиться принимать и любить то, что мне дано, во всем его несовершенстве. Понять, что и собак, и людей совершенными делает только любовь.

За Боню мы упорно боролись. Нашли хирурга, который сделал ему операцию, как-то подтянул лапы. Операция была долгой, тяжелой, под общим наркозом. После наркоза мы волокли Боню, весившего почти центнер, в одеяле в машину. Очнувшись, Боня смотрел на нас повзрослевшими глазами: "Ну как же вы могли так со мной?" По-моему, ты отворачивался и прятал слезы.

Операция помогла, Боня начал ходить и даже бодро бегать, хотя всё равно вилял задом и заметно прихрамывал. Но жил и радовался жизни. Ты исправно гулял с ним. И никогда не произнес: "Я тебе говорил: не бери собаку, ведь именно мне придется с ней гулять". Боня был наш, ты его любил, любовь требует жертв, что тут поделаешь.

Боню я предавала не один раз. Первый — когда узнала, что он болен, и пожалела, что вообще ввязалась в эту собачью жизнь. Второй — когда внутренне готовилась оставить тебя и сбежать в Москву, к Леше, к спокойному существованию — без болезней и страхов. Летом на даче гуляла с Боней в лесу, мучительно прокручивала возможные сценарии моей будущей жизни. В московском сценарии не было места Боне — Леша страдал жесточайшей аллергией на шерсть. Это значило, что Боню надо бросить, оставить тебе. Это было всё равно что покинуть больного ребенка. А если считать Грушу — покинуть двоих детей. Я бродила по лесу, Боня носился вокруг без поводка, наслаждаясь свободой. В какой-то момент он исчез. Я звала его, искала больше часа. И вдруг поняла, что не хочу, чтобы он нашелся. Это было бы таким легким выходом — просто сбежал, потерялся в лесу. И я в этом не виновата. А потом его кто-то обязательно найдет, возьмет себе, он ведь добрый породистый пес. С этой мыслью я повернулась и быстро пошла по направлению к дому. Потом не выдержала, остановилась: "Бо-о-он-я-я-я!" Он радостно прыгнул ко мне из кустов, я села на сырой мох, обнимала его огромную голову, плакала в голос:

— Боня, ну что же мне делать, что же мне делать!

Он жарко дышал и слизывал мои слезы вонючим шершавым языком.

Месяца через два я уехала в Москву, бросив тебя — и на тебя — Боню и Грушу.

Последняя записка, которую ты оставил на кухонном столе, сохранилась:

"Я ушел. Скоро буду. С Бонькой выйти не успел".

64.

Привет, Иванчик! Вчера я не написала тебе про
Бонину смерть. Он пережил тебя на несколько лет.
Однажды мне приснился сон, в котором он, запертый
в квартире на Правды, ждал тебя, ушедшего умирать.
Во сне в квартиру отчего-то никто не приходил,
и Боня медленно сходил с ума, как сенбернар из
повести Стивена Кинга, которую мы с тобой читали
вдвоем. Я знала, что он в ярости бросится на первого,
кто войдет в дом, но никого не предупредила. Почему?
Не знаю. А потом увидела вместо Бони себя —
с длинными волосами, растрепанную, в махровом
халате, с диким взглядом. Похожую на сошедшую с ума
Катрин Денев в "Отвращении" Полански — мы
любили этот клаустрофобический шедевр и не раз
вспоминали разлагающегося кролика. Как всегда,
я не досмотрела сон до финального титра и не знаю,
удалось ли мне выбраться с улицы моей правды.

Говорят, что, учитывая болезнь Бони, операцию
и его гигантские размеры, он прожил не так уж и мало.
Не знаю. Не люблю разговоров о том, какой кому
достаточен жизненный срок.

Помню момент, когда мне сказали, что Боня умер.
Это случилось во время обеда в "Пушкине". Наверное,

Леша думал, что пушкинская уютная буржуазная атмосфера смягчит удар. Он боялся напрасно. Я ничего не почувствовала. Всё внутри заиндевело. И даже слезы не потекли. Ну умер. Так люди в блокаду реагировали на очередную смерть. Сегодня — он, завтра — мы. Сейчас вот вспоминаю Боню — и не могу перестать плакать. Отчего? Неужели сердце оттаяло?

У нас с Сережей не так много общих цитат и общих словечек. Борхес сказал, что "общий язык предполагает общее с собеседником прошлое", а какое у нас с ним общее прошлое? Но иногда он задает мне вопрос из мультфильма про Карлсона: "А как же я, Малыш? Я ведь лучше собаки?"

А я? Я ведь лучше собаки?

65.

Вся история с "Никотином" была историей о любви,
я знаю. Ты легко мог бы сделать этот фильм сам.
В те смутные безумные времена иллюзий и надежд
(их потом назвали лихими) снять фильм мог любой,
кто обладал достаточной харизмой или достаточной
наглостью, чтобы ткнуться в правильную дверь, найти
правильные слова и попросить денег. Ты знал двери,
ты был харизматичен, ты — как никто — находил
слова. Но ты не умел просить и не умел говорить
о деньгах. Ты так и не снял свое кино. Хотя жил
и дышал — только этим.

Ты писал Брашинскому в Америку про Макса
Пежемского, который завершал на "Ленфильме"
свой "Переход товарища Чкалова через Северный
полюс":

"Должен сознаться — сильное зрелище. Аж зависть
пробивает. Что будет, когда на картину ляжет музыка
Курёхина, — сказать страшно!

Всё это подвигает на собственный запуск.
Есть идея, которую уже несколько месяцев
собираюсь оформить сценарно и отнести на
«Ленфильм»?!?!?!

Такая вот херотень. Часть вместо целого. <...>

Читаю Мих. Кузмина. Сильные есть строки:

Безволие — предвестье высшей воли.
Ее и ждем".

О каком сценарии ты говорил? "Никотин"? Или
что-то другое? Почему ты мне ничего не рассказал?
Почему не отнес эту заявку? Или ты так ее и не
написал? А про безволие и высшую волю, которой ты
ждал и не дождался, — да, это точно.

"Плох тот солдат, который не мечтает стать гене-
ралом. Плох тот кинокритик, который не мечтает
о режиссуре", — написал ты в рецензии на "Никотин".
Ты был автором сценария, поэтому подписал рецензию
псевдонимом — Сергей Каренин. "Никотин" был
игрой с "На последнем дыхании". Играть так играть.
Нарушать этические принципы — так нарушать.
С одной стороны, Сергей Каренин — намек на
Сережу, сына Анны Карениной, который появляется
в финале блатной песни ("Подайте сестренки, подайте
братишки, подайте, Вас просит Каренин Сергей");
с другой стороны — на Сергея, принадлежащего
Карине. Ты несколько раз подписывал тексты этим
именем, оно тебе нравилось. Как нравился и мой
псевдоним — Любовь Сергеева. Так я подписывала
театральную колонку в газете "Пульс".

Ты, конечно, мечтал о режиссуре. И Трюффо,
и Годар, и Богданович были кинокритиками —
и сделали этот шаг. Ты не сделал. Почему?

Мы говорили об этом много раз, и ты мое мнение
знал. Я считала, что ты боишься. Что ты не взялся сам
за "Никотин", опасаясь ошибки, провала, позора. Даже
за сценарий ты взялся не один, а вместе с Пежемским.

Тебе нужны были его юношеская наглость и его бесстрашие. Его энергия и готовность совершить ошибку. Ты прикрывался им, как прикрывался режиссером "Никотина" — Евгением Ивановым, который материализовался из воздуха и вскоре вновь растворился, впрочем, сняв еще один фильм по твоему сценарию — "Дух". Даже его имя — Евгений Иванов — казалось псевдонимом, мистификацией. Однако он существовал в действительности, был высок, красив, усат, женат и молчалив. Он подолгу сидел у нас на кухне, внимательно тебя слушал, изредка подавая ничего не значащие реплики. Ты использовал его как медиума, как аватара (разумеется, мы тогда не знали такого слова). Это была коллизия "Сирано де Бержерака". (У тебя не было огромного носа Сирано, но у тебя была огромная гордость.) Что для этого крепко сбитого и прочно стоящего на земле человека по фамилии Иванов значило сумасшедшее "На последнем дыхании?". Кто знает? Мне его дыхание казалась ровным и тяжеловатым.

Я сердилась. Говорила:

— Это всё равно как если бы ты влюбился, а на свидание вместо себя послал другого. И слова "я люблю тебя" поручил сказать другому. Разве так можно? Имей мужество сказать это сам.

Ты не мог. Прошло много лет. Я, кажется, поняла природу твоего страха. Я поняла, что бесстрашными бывают только люди без фантазии, которые не могут вообразить последствия своих действий. Твоя фантазия была безграничной. Помноженная на твой безупречный вкус, она парализовала твою творческую волю. Я знаю, ты никогда не произнес бы слово "творческий", не прикрывшись иронией, но мне уже наплевать, прости.

Ты не любил дилетантов и был к ним безжалостен. Однажды едко написал: "Еще вчера по коридорам студий бродили люди, с горящими глазами излагавшие проекты гомосексуальной версии «Броненосца "Потемкина"»" или продолжения «Белого солнца пустыни». Сегодня они ушли в мелкотоварный бизнес или вернулись к своим прямым обязанностям осветителей и ассистентов по монтажу".

Недавно мы говорили о природе подобных страхов с Лунгиным. Он уверял, что у лидера не должно быть страхов, что он не должен заниматься анализом и поддаваться рефлексии. Анализировать и бояться должны те, кто работает на лидера. Лидер берет на себя ответственность за решения и за ошибки. Значит ли это, что ты не был лидером?

Тебе нужна была защита, охранная грамота. В виде бесстрашного Макса Пежемского, в виде безликого Жени Иванова, в виде обожаемого Кости Мурзенко, в котором жил страх и жила уязвимость, но он умело прятал их под эксцентрической маской. Или защита в виде римейка — ты пересказывал чужие сюжеты, жонглировал киношными цитатами и культурными ассоциациями. Ты ведь не мог вот так просто сказать в камеру: "Я люблю тебя". Тебе надо было произнести: "Как говорил Годар, я люблю тебя". Да к тому же произнести чужим голосом.

"Никотин" стал полуудачей, что было хуже провала. Ты это понимал. "Авторский коллектив «Никотина» остановился на полпути — в той опасной точке, где критику не надо писать очередную статью в форме сценария, а режиссеру лучше не снимать фильм как рецензию на самого себя. Хотя, быть может, в этом и есть смысл очередной вариации вечного сюжета, разыгранного после остановки дыхания", — писал ты. И добавлял в свое оправдание: "Каждое поколение получает то «На последнем дыхании», которого заслуживает... Герой Годара жил, как дышал. И умер, когда задохнулся от удивления и обиды. Герой «Никотина» не дышит и не живет, он всего лишь вяло путешествует из одной классической киномизансцены в другую".

Типа, другого мы и не заслужили. Снова защита. Такой защитой был для тебя и постмодернизм, способ разговора посредством цитат и игры с готовыми культурными мифами. "Римейк — источник невозможного — позволяет сбыться несбыточному, выдохнуть воздух, которым никогда не дышали". Но по своей художественной природе ты был не постмодернистом, а самым настоящим модернистом, авангардистом, "тем, кто атакует жизнь искусством, а потому бесконечно изыскивает в искусстве еще не освоенные им физиологические потенции". Ты исследовал жизнь на разрыв. Что и доказал своей смертью на последнем дыхании.

Завидовал ли ты тем, кто легко осуществлял свою (твою) мечту? Завидовал ли Максу Пежемскому? Жене Иванову? Другим? Ты всегда им помогал, радовался успехам, писал про них, хвалил, ругал, продвигал. Нет, зависти в тебе не было. Вряд ли ты хотел бы оказаться автором сделанных ими фильмов. Твои самые близкие друзья — Брашинский и Мурзенко — оба стали снимать кино, оба решились на этот шаг. Но им бы ты тоже не позавидовал. Если уж критику снимать фильм, то такой, как "На последнем дыхании", "400 ударов" или "Последний киносеанс".

Возможно, я была — и продолжаю быть — слишком к тебе сурова? Ведь что тебя парализовало? Твой безупречный вкус, твой аналитический ум, твоя мучительная совесть, твоя сумасшедшая гордость, твоя феноменальная эрудиция. Ты слишком хорошо представлял, что такое хороший фильм. Ты слишком много их видел. Ты не мог позволить себе сделать средний фильм. Чтобы быть бесстрашным, нужно быть влекомым мощной внутренней силой, сопротивляться которой невозможно. Или обладать менее сложной душевной структурой, чем твоя. ("Так всех нас в трусов превращает мысль".)

А еще тебя парализовала я. Я так много от тебя требовала, всегда ждала от тебя чего-то большего. С одной стороны — хотела владеть тобой целиком, подчинить тебя себе. С другой — хотела, чтобы ты начал действовать, полностью воплотил свой огромный дар. А как воплотить и как творить, если ты — несвободен, если ты — пленник?

В рядовой газетной статье ты, между прочим, сказал, что ранняя смерть не входит в мифологию режиссерской профессии: "Молодыми умирают поэты и рок-музыканты, самой природой обреченные на вечную юность".

Может быть, тебе суждено было умереть молодым? Так и не дождавшись высшей воли, которая должна последовать за безволием?

И все-таки, пока делался "Никотин", ты был по-своему счастлив — потому что причастен. Немного влюблен в Наташу Фиссон — "режиссер должен быть влюблен в свою актрису"; увлечен несуществующими талантами Жени Иванова — "ты его недооцениваешь, он не так прост"; восхищен легкостью и пластичностью додинского актера Игоря Черневича — "он гений, вот увидишь"; уверен в Курёхине — "ну кто еще, если не он, озвучит эту поп-механику?" А в конце концов —

ужасно, чудовищно расстроен, потому что получилось, как в дневнике Толстого после первой брачной ночи: "Не то".

Кстати, Годара, дающего пресс-конференцию в питерском Доме кино, сыграл не актер, а какой-то киношный функционер по фамилии Баранов, которого мы с тобой впервые увидели в Репине, на том самом семинаре, где я делала доклад про "Цирк", а ты — про "Чапаева". Ты тогда схватил меня за руку:

— Смотри, как похож на Годара! Если еще очки темные надеть!

В сцене пресс-конференции ты отлично сыграл переводчика Годара, озвучив важные для тебя мысли. А среди журналистов там есть и Трофим, и Попов, и даже я — еще с длинными волосами. Реплики ты мне не дал, просто разрешил присутствовать в кадре.

Сейчас "Никотин" можно смотреть разве что из исследовательского интереса. Когда-то — в статье про фильм Пежемского — ты написал: "Есть фильмы, отвечающие времени, и фильмы, отвечающие за время. Фильмы-предлоги и фильмы — придаточные предложения. Фильмы, выразившие дух эпохи, и фильмы, самовыражающиеся в этом духе". "Никотин" самовыразился в духе эпохи.

Может быть, тебе надо было пить — для храбрости? Как тогда, когда ты впервые меня поцеловал. Или впервые сказал мне: "Я люблю тебя". Но пить тебе я не разрешила.

И ты отправил на свидание другого. Который, кажется, даже и не курил.

66.

Когда мы с тобой впервые поехали на сочинский
"Кинотавр"? Кажется, в 1993 году? Или в 1994-м?
Гостиница "Жемчужина" с видом на море казалась
нам роскошной, жареный сулугуни и форель
в прибрежном кафе — вкуснейшими, город в цветущих
розах — расслабленным и симпатичным. Вокруг —
куча друзей, знакомых, знаменитых и красивых лиц.
Жаркая атмосфера взвинченной чувственности и все-
дозволенности — многие, конечно, отправлялись на
"Кинотавр" не за кино, а за ликами любви. Фильмы
с утра до вечера. Ты набирал известность в профессиональной среде и щедро расточал свое обаяние
во все стороны.

На "Кинотавре" мне пришлось поработать,
потому что пригласили меня при условии, что я буду
переводить с английского (твой статус еще не позволял
тебе взять жену). Это было своего рода авантюрой —
мой английский хромал. Но другого выхода не было.
Мне пришлось переводить иностранные пресс-
конференции. Когда кто-то из зала поправил неточ-
ность в переводе, ты вскочил с места и принялся меня
защищать. Но кончилось всё хорошо, я выехала на
фантазии и лекторском опыте. А потом меня даже

приставили к приехавшему на фестиваль с "Присциллой, королевой пустыни" Теренсу Стампу.

— Это круто, Иванчик, он же играл у Пазолини и Шлезингера, трахал Брижит Бардо и Джули Кристи, а потом на десять лет свалил в Индию! — сказал ты.

Высокий и седой Стамп приехал с красивой блондинкой, которая была едва ли старше меня, — у нас тогда еще не принято было окружать себя юными моделями, все как-то по старинке занимались любовью с социально близкими. Мы с ними ездили на сталинскую дачу. Я говорила ему, что всё это тотальный фейк и что Сталин на этой даче вряд ли бывал. Но Стамп всё равно с интересом рассматривал окна, расположенные высоко, выше человеческой головы:

— Это чтобы нельзя было выстрелить в окно. Сталин ведь был параноик, — объяснял он нам.

Эту дачу можно было арендовать — как мини-отель. Специально для гостей в столовой стояла восковая фигура Сталина. Это и впрямь были безумные времена.

Киношный мир я тогда знала не слишком хорошо, была зажатой и застенчивой, особенно с известными людьми. К тому же я казалась себе недостаточно худой. Перед отъездом подруга отдала мне купальник с юбочкой безумной гавайской расцветки, который до сих пор лежит у меня в черногорском шкафу — я только вчера в нем плавала. Ему больше двадцати лет! Когда я вышла в нем на сочинский пляж, я ужасно стеснялась несовершенства своего незагорелого тела. Мы с тобой подошли к группке питерских критикесс, и одна из них замахала на меня руками:

— Уйди, уйди, не хотим рядом с тобой стоять, у тебя фигура!

Ну ничего себе! У меня? Фигура? Никогда бы
не подумала. У меня всегда были проблемы, которым
тогда не знали названия — *body image*, *food issues*,
анорексия, орторексия, булимия. (Ты сейчас сказал бы:
"Брось, Иванчик, это всё докторские выдумки".)

Помню, как я сидела в столовой "Кинотавра"
напротив Ларисы Гузеевой — совсем худенькой, стриженной под мальчика, зеленоглазой, ослепительно красивой. Я помнила ее еще по Моховой, она училась на
выпускном актерском курсе и снималась в "Жестоком
романсе". Однажды жаловалась мне на институтской
лестнице, что у нее совсем нет груди, завидовала моему
третьему размеру и поднимала футболку, чтобы показать, какая она печально-плоская. Так вот, Лариса,
возившая вилкой по тарелке кружочек свежего огурца,
подняла свои прекрасные затуманенные глаза и сказала:

— Когда влюбляешься, ничего не идет в горло,
ну просто ничего.

В нее тогда страстно влюбился поляк Богуслав
Линда, приехавший на "Кинотавр" с какой-то карти-
ной. Я испытала болезненный приступ зависти. Да, я,
конечно, любила тебя, но я скучала по этому острому
чувству — начала любви. Когда пропадает аппетит, мир
заволакивает туманом и в голове только одна мысль.

Недавно я испытала это — с моим новым
Сережей. В первый наш с ним месяц или два я, как
Гузеева на "Кинотавре", не могла ни есть, ни спать,
похудела на несколько килограммов, мгновенно похо-
рошела и засветилась изнутри, как все влюбленные.
Сережа страшно радовался, когда окружающие говорили
мне, что я потрясающе выгляжу и что у меня счастливые
глаза.

— Это ведь из-за меня, да? — спрашивал он.

— Конечно, из-за тебя, — отвечала я. — Ты же знаешь, что лучшая диета — это любовь.

Тогда, на первом "Кинотавре", я страстно захотела снова испытать то, что испытывала Лариса Гузеева, с туманными глазами возившая огурец по тарелке. Захотела влюбиться. Пусть ненадолго.

Не знала, что ненадолго — не бывает.

67.

5 октября 2013

Почему-то сегодня хочется рассказать тебе про мои *food issues*. Раньше я понятия не имела, что такое булимия, и не считала свою юношескую привычку засовывать два пальца в рот после плотной еды, куска торта или четырех порций мороженого чем-то опасным. Разумеется, я не подозревала, что это болезнь. О том, что иногда я это делаю, ты не подозревал. Опасной формы это не принимало, и мне казалось, что всё под контролем. Сейчас я всё знаю про булимию принцессы Дианы или Джейн Фонды. Будучи воплощением здоровья американской нации и проповедницей аэробики, Фонда в течение почти двадцати лет страдала от булимии, скрывая ее от всех. Вылечилась только после сорока — и очень пронзительно рассказала об этом в своей книге *My life so far*. И Дайан Китон тоже рассказала невероятно откровенно — в недавно изданной автобиографии. Ее булимия длилась пять лет, пришлась на годы жизни с Вуди Алленом и обретала какие-то раблезианские формы. Три немыслимые трапезы в день (меня тошнило, даже когда я читала списки тех продуктов, которые она ежедневно в себя заталкивала), три рвоты в день. До такого я, конечно, не доходила. К тому же в первые два-три года нашего брака приступов у меня не было, ведь лучшее лекарство от булимии — взаимная любовь. Начинались эти постыдные удовольствия (чуть не написала "преступления") и последующие за ними наказания, когда внутри поселялась тревога.

— Почему же это с тобой было? — спросил бы ты.

— Потому что я хотела быть худой и красивой. Но при этом мне нужно было сладкое счастье, сиюминутный комфорт и легкое удовольствие, которое может подарить еда. И еще я почти сладострастно ненавидела себя за свою слабость.

— Но ты была худой и красивой.

— Я знаю. Но я такой себя не чувствовала.

— Почему ты мне ничего не сказала?

— Мне было стыдно.

Год назад, за несколько месяцев до того, как я впервые притянула к себе голову Сережи для поцелуя, я пошла к юнгианскому психоаналитику, чтобы справиться со своей то и дело возвращающейся булимией. К тому времени я прекрасно понимала, что это не распущенность, а серьезная болезнь. Ты большинство психоаналитиков считал шарлатанами. Но Таня Ребеко оказалась большим профессионалом и помогла мне. На первом же сеансе я рассказала ей о тебе и о своей жизни с тобой (с живым и с мертвым). И она воскликнула:

— Господи, да вы его до сих пор любите, бедная!

Я немного растерялась. Ничего нового она мне не сказала, но все-таки вот так отчетливо я это никогда не формулировала. Но вылечила меня не она, а Сережа. После того как мы впервые поцеловались, мне ни разу не захотелось ни мороженого, ни сладкого. Только не надо думать, что всё так просто и так тупо: появился бурный секс — и не надо еды. Дело тут не в сексе —

у булимиков может быть вполне насыщенная сексуальная жизнь. Дело в том, что на тебя смотрят влюбленными глазами — и в этих глазах, как в волшебном зеркале, ты самая красивая. Мой Сережа на меня так и смотрит. Однажды я спросила его, считает ли он француженок хорошенькими. Он ответил удивленно:

— Не знаю. Я же здесь всегда с тобой. Я не смотрю на них, я смотрю на тебя.

Ну и какое мороженое мне после этого нужно?

Ты боялся растолстеть. Всегда был сухим, худым, подтянутым. Паниковал, если появлялась лишняя капля жира. Недавно я посмотрела в записи программу Ренаты Литвиновой про нижнее белье, где она сказала: "Настоящий романтик не может быть жирным". Ты под этим подписался бы — и даже пожалел бы, что это не ты сказал. Я-то не согласна, я видела настоящих романтиков, запихнутых волею судьбы или по слабости характера в огромные раздутые тела (да и Ренату мы с тобой знали совсем не такой худенькой).

Удивительно, что я, сознающая, как опасна фиксация на еде и на худобе, теперь мучаю Сережу. Отнимаю у него белый хлеб, варенье и сахарницу, не позволяю доесть слоеную булочку с шоколадом и всё время прошу:

— Не толстей, ладно?

Он в шутку (или не в шутку) спрашивает:

— Неужели ты меня бросишь, если я стану толстым?

Я отвечаю, как Сандра Баллок в дурацком фильме "Отсчет убийств", где она играет женщину-полицейского, которой от мужчин нужен только секс:

— Ну что ты, дорогой, *I really respect you as a person*.

68.

Привет, Иван! Поговорим о страхах? Не о глубоком экзистенциальном страхе, приведшем тебя к той границе, которую ты в конце концов пересек. И не о страхе перед действием, который парализовал твои режиссерские амбиции. И не о страхе унижения, который не позволил тебе сделать попытку меня вернуть. Поговорим о мелких фобиях.

Ты испытывал патологический ужас перед зубными врачами. Мы все их боялись, конечно. Никогда не забуду, как наш класс впервые отвели к зубному. На стенах висели портреты пионеров-героев. Ожидая своей очереди, надо было читать, кого как пытали и кого как замучили. Сначала я не понимала, для чего здесь весь этот иконостас. Потом дошло — для того, чтобы, сидя в страшном железном кресле, я, истязаемая зверской бормашиной, повторяла: "А Зина Портнова — смогла! Марат Казей — выдержал! Лариса Михеенко — не выдала!"

Зина Портнова смогла, а я — нет. Стыд и боль, испытанные тогда, ни с чем не сравнимы. Наркоза не было и в помине. Машины — допотопные, трясущиеся, лязгающие. До сих пор я помню эти из года в год повторяемые слова: "Пломба, кариес, пломба, кариес... Сплюнь вату". И запись в моей больничной карте: "Девочка плохо сидит!"

Так что было чего бояться. Я тоже боялась, но всё же не так, как ты. Надо — значит, надо, что тут обсуждать. В конце концов, можно и потерпеть. Бывает хуже. Но ты чуть ли не самой страшной сценой в мировом кино считал эпизод из "Марафонца", где Лоуренс Оливье пытает Дастина Хоффмана бормашиной. Заставить тебя пойти к зубному было невозможно, я билась несколько лет. Тебе давно нужно было поставить несколько пломб и вырвать клык, как-то криво и некрасиво растущий. Но ты отшучивался, говоря, что это клык вампирский и что без него ты растеряешь всю свою силу. И добавлял: "Ты не понимаешь, Иванчик, зубы — это сакральное. Не должен чужой человек копаться у тебя во рту!" Словом, зубы были твоей ахиллесовой пятой.

По-моему, только на третий год совместной жизни я наконец отвела тебя к врачу. Мы сидели в приемной, я держала тебя за руку, как маленького. Ты пытался вырваться и уйти: невозможно было поверить, что ты — взрослый мужчина. Потом я вспоминала эту сцену, когда смотрела с детьми старый советский мультик "Бегемот, который боялся прививок". "Скажите, а прививки — это очень больно?" — "Ну что вы! Ерунда! Раз — и всё!"

Когда ты вышел из кабинета, ты весь сиял. Белые стены без пионеров-героев, сверкающая аппаратура, наркоз, ласковая хорошенькая врачиха — блондинка в очках. После этой зубной инициации ты с ней задружился, несколько раз брал с собой в Дом кино, усаживал рядом с нами. Вы оба гордились этой дружбой. Она лечила известного критика и сценариста, а у тебя была подруга — женщина, зубной врач. Совсем по Зощенко.

С ужасом перед дантистами мы покончили. Был еще один, куда более иррациональный. Змеи. Их ты боялся панически. Говорил, что в детстве в тебя кинули дохлую змею. Ты не мог видеть рептилий на картинках, не мог смотреть на них на экране. Если ты знал, что в фильме появится змея, ты на него не ходил. С показа "Индианы Джонса" в Доме кино ты выскочил пулей — змея там появлялась в первых же эпизодах. Эту фобию ты разделил с героем Харрисона Форда — Индиана тоже патологически боится змей.

Недавно я прочитала, что страх змей — довольно распространенное явление, называется офидиофобией и легко лечится гипнозом. На гипноз ты никогда не согласился бы: "Не должен чужой человек копаться у тебя в голове!"

Оказалось, что людей, которые боятся змей, — миллионы, куда больше, чем тех, кто боится, например, хищников. Что это? Первобытный ужас перед библейским змеем или перед змееподобными сказочными драконами? Страх каждого ленинградского ребенка перед гигантским "Медным змием" в Русском музее? ("Последний день Помпеи", висящий в том же зале, был, конечно, страшнее, но "Медный змий" уверенно занимал второе место.) Обыкновенное омерзение? Может быть, эта офидиофобия (ну и словечко!) была признаком твоей постоянной внутренней тревоги, которая всегда оживляет архаические страхи и питается ими? Как будто ты чувствовал угрозу, которую несет с собой жизнь, скрытый в ней яд. "В «Истории кино» он [Годар] нарезал любимые фильмы на микроскопические отрезки. Они дразнят, но не отвлекают от собственного годаровского страха по поводу того, что все мы рано или поздно умрем, а эта — обольстительная и фальшивая — змея срастется вновь и вновь будет жалить своим сладким и смертоносным ядом..." Может быть, этот страх спровоцировал твое увлечение фильмами ужасов, твои попытки вскрыть механизмы их воздействия. Понять эту твою фобию я не могла, мне она казалась распущенностью, проявлением инфантильности. Неужели нельзя научиться собой управлять? Но жить этот твой страх нам не мешал. Просто нельзя было рисовать змей, говорить о них, оставлять на полу ремни. Наверное, тебе было бы страшновато жить со мной летом в Черногории, здесь иногда ползают змеи.

Кстати, у Тарханова в "Коммерсанте" была кличка "Удав в сиропе". В другой версии — "Змея в шоколаде" (мне всегда казалось, ты суеверно вздрагиваешь, когда ее слышишь). Так что я от тебя ушла именно к змее — пусть и в шоколаде.

У Сережи тоже есть иррациональный страх — перед антибиотиками. Я таблетки глотаю легко, как конфеты (если честно, конфеты я ем куда реже). Следую совету Леши Тарханова: "Не так долго нам осталось жить, так лучше провести это время без боли". Но Сережа испытывает ужас перед ядовитым вторжением, как будто таблетка разрушит что-то в его внутреннем устройстве. Мне это даже нравится — как будто он совсем девствен изнутри, неиспорчен, не тронут никакой отравой. Я чувствую эту чистоту, когда целую его. Однажды, измученный бессонницей, он проглотил мою таблетку мелатонина (всего-то одну!) — и долго вслушивался в то, как она хозяйничает в его организме.

Сама я по-настоящему боялась — и боюсь — только людей.

69.

Кто, когда, как первым заказал тебе текст для московского "Коммерсанта"? Тарханов, руководивший там отделом культуры? Тимофеевский, главный идеолог газеты? Плахов, отвечавший за кино? Но заказывать стали регулярно. Со временем придумали рубрику "Теле-кино", чтобы ты мог постоянно рассказывать о клас-сических фильмах, которые показывали по телевизору. А потом и мне предложили писать статьи — главным образом о театральных спектаклях. В питерском "Коммерсанте" культурой руководила Инна Ткаченко — веселая, красивая, басовитая, разбитная. А главным московским начальником был Леша Тарханов (его называли Лешечка) — с ним я иногда говорила по телефону, удивляясь его тихому вкрадчивому голосу и патологически старомодной вежливости.

Ты гордился работой в "Коммерсанте" — и не только потому, что это были приличные деньги, стабильность, престиж, репутация, вменяемые началь-ники. Ты гордился работой в газете, которая тогда и в самом деле была блестящей и новаторской. Гордил-ся тем, что попал в число ее экспертов — новости подавались в формате персональной экспертизы, пусть и в ироническом тоне.

По отношению к московским коммерсантовским коллегам ты испытывал сложные чувства. Иногда держался с ними почти высокомерно. Ты ценил Тимофеевского, но общаться вам было непросто, вы были слишком разными в своих культурных пристрастиях. Шура боготворил классическую культуру и киноклассику, ты был яростным авангардистом и постмодернистом, хотя знал и любил классиков ничуть не меньше.

Ты уважал Плахова — за способность мгновенно обрисовать мировой киноландшафт и поместить любой фильм в его контекст. Андрей очень помогал тебе, восхищался твоим талантом, рекомендовал тебя фестивалям, пристраивал твои тексты в разные издания. Людей, столь щедрых к коллегам и столь неревнивых, я знаю не так много.

Еще целый год ты работал в "Коммерсанте" после того, как я ушла от тебя к твоему начальнику Леше Тарханову. Каково тебе было? К счастью, ситуация разрешилась сама собой — главным редактором газеты стал Раф Шакиров, и Леша на год перешел в "Домовой", который называл санаторием-профилакторием ЦК. В отделе культуры у тебя появился новый начальник — жизнь уберегла тебя от последнего унижения.

Для тебя было важно видеть свои тексты напечатанными. Не знаю, удовлетворился бы ты сейчас электронной версией? Это ведь было особое чувственное удовольствие, ритуал. Ты выходил по утрам, добегал до киоска, возвращался с газетой, размахивал в дверях листками: "*New York Herald Tribune! New York Herald Tribune!*" (несколько дней назад эта легендарная газета перестала существовать, превратилась в невнятный гибрид под названием *International New York Times*).

Ты наливал кофе, раскрывал полосу культуры. (Политика и экономика интересовали тебя только как своего рода театр-паноптикум.) Очень сердился, если тебя много правили. Слова ты выбирал долго и внимательно, каждое тщательно взвешивал и раздражался, когда редактор менял или переставлял эти точно найденные слова и продуманные фразы. Мне, у которой слова выскакивали легко и быстро, твой педантизм был непонятен — лишь бы донести эмоцию и мысль, ведь, в конце концов, это всего лишь газетная статья, не литература.

Я тоже должна была читать эти тексты. Но совсем мало тебя хвалила. Вообще я всегда была скупа на похвалы. Говорят, я такой и осталась — и с подчиненными, и даже с детьми. Но это я понимаю сейчас. А тогда мне казалось, что я достаточно тебя хвалю. Куда уж больше.

Сережу стараюсь хвалить за всё. Еще в Москве он познакомился с моей десятилетней Соней — циничной и острой на язык особой. Она о чем-то расспрашивала его, подкалывала, иронизировала, привычно хвасталась своим интеллектуальным превосходством — но без большого размаха, все-таки немного стеснялась. Когда Соня вышла, он сказал:

— Ей потом будет очень трудно найти себе мужчину.

— Почему? Она умная и красивая.

— Ну какому мужчине понравится, когда его вот так ставят на место? Кто захочет такую критику слушать от женщины?

Ого. Я усвоила урок.

Сережа установил мне дополнительный интернет-порт, который теперь добивает до дальних комнат. Гени-

ально! Отлично вел мою машину и здорово ее
припарковал. Потрясающе — я никогда бы не выехала
отсюда, а сюда никогда бы не влезла! Купил и ввернул
какие-то цветные лампочки, которыми можно управлять дистанционно через приложение в айфоне, —
просто чудо! Через программу удаленного доступа из
ЮАР почистил мне почту. Невероятно — у меня
теперь есть мой личный джеймсбондовский Кью.

Я ведь живу в далеком будущем, в цифровой
реальности, окруженная айфонами, айпадами и всевоз-
можными дигитальными приложениями. Ох, как было
бы здорово, Иванчик, поговорить с тобой сегодня про
футуристические фильмы. Что сбылось, а что нет.
И кто из режиссеров точнее всех предугадал и выстроил
фантастический мир, в котором мы теперь живем.

Мне легко подсчитать, сколько времени прошло
со дня твоей смерти: ты умер через две недели после
рождения моего сына Ивана. Вчера, кстати, я показывала Ивану "Назад в будущее" и "Назад в будущее — 2".
И в очередной раз поразилась, как ты похож на юного
Майкла Джея Фокса. Мужчина-мальчик в джинсовом
костюмчике, с порывистой танцующей пластикой
и острым взглядом светлых глаз. Ты был, конечно,
красивее, нервнее, старше, суше, тоньше — и в твоих
глазах было больше тоски. Но всё равно моментами
возникала иллюзия, что я отправляюсь в прошлое.

Я смотрела на возрастной грим Майкла Джея
Фокса и думала: неужели ты был бы сейчас таким?
Ну уж нет. Скорее ты был бы похож на нынешних
Боуи, Барышникова и Иствуда — на всех сразу. Все
трое красиво постарели. Ты бы сказал — заматерели.

Нет, всё равно не могу, не хочу думать о тебе
старом.

Недавно я показала Сереже "Летят журавли", один из наших с тобой любимых фильмов. Сказала ему, что это обязательно надо смотреть, если он интересуется операторами. Он удивился:

— С чего ты взяла, что я интересуюсь операторами?

И в самом деле, с чего я взяла? Я рассказала ему про Урусевского, но он не досмотрел даже до кружащихся берез, быстро заскучал, спросил, не хочу ли я все-таки попытаться въехать в "Игру престолов".

Я попыталась. Не вышло.

Я всё равно не могу превратить его в тебя. Да и не надо.

Когда мы с тобой посмотрели "Неотправленное письмо", тебя поразило, как грандиозная форма — прежде всего операторская работа, игра света — сокрушила маловыразительный сюжет, обессмыслила содержание и своей бешеной энергией почти разорвала пленку. Ты называл эту картину едва ли не самой великой неудачей в советском кино, рисовал мизансцены на своих карточках, говорил про лица-ландшафты Урбанского и Самойловой. Про нее ты однажды написал: "В семидесятые станет ясно, что у Анны Карениной не может быть лица Самойловой..."

А твоему лицу нашлось бы место в двухтысячных?

70.

21 октября 2013

Привет! В каком году я познакомилась с Пашей Гершензоном? Точно помню, что это произошло в "Сеансе",
где я уже работала, а он уже не работал. Наверное, шел
девяносто пятый год, потому что он приехал в Питер
в девяносто четвертом, жил у Любки, помогал ей
с новым дизайном "Сеанса" и вообще кормил и поил
разными идеями. Любка в ответ кормила его жареной
картошкой с котлетами и поила чаем. С ее животным
чутьем на ум и талант она впилась в Пашку всеми
клешнями.

Пашкино лицо поразило меня почти так же, как
когда-то поразило твое. Лысый, худой, похожий на
очкастую змею. Светло-голубые огромные глаза навыкате.
Лицо — не то уродливое, не то прекрасное. Раз увидев,
не забудешь никогда. Он говорит, что тоже отлично
запомнил меня, когда мы пришли с тобой в "Сеанс":
длинная черная шинель с золотыми пуговицами, широ-
кополая шляпа, красный шарф. "Ты была такая драмати-
ческая. И вообще вы были очень киношной парой".

Гершензон — снисходительно и удивленно —
сказал своим мяукающим голосом:

— У вас в Питере есть Мариинский театр
и Эрмитаж. А вы, питерцы, ни туда ни туда не ходите.

Сам он родился в уральском городке Серове, учился в Екатеринбурге, был ушиблен мариинским балетом — и вскоре осел в Мариинке, судьбу которой, безусловно, радикально изменил. От него я впервые услышала имя Ульяны Лопаткиной — ее только начали выдвигать из кордебалета. Тогда же появились огненная Диана Вишнева, ледяная Светлана Захарова, уязвимая Майя Думченко (позже как-то грустно исчезнувшая), на которых стали приезжать продвинутые московские балетоманы.

Гершензон стал моим настоящим (и, пожалуй, единственным) другом, своего рода интеллектуальной любовью, длящейся до сих пор. Он поразил меня стройным архитектурным складом мозгов, который я благодаря ему научилась называть системным. Эту системность Пашка виртуозно применял к анализу любых культурных феноменов, которые препарировал как скальпелем. "Карина, есть ведь объективные законы композиции!" — говорил он о многих явлениях, которыми я, привыкшая доверять своему "утробному урчанию" (Пашкины словечки), так или иначе восхищалась. И в итоге всегда оказывался прав. Не будучи академически образован, Гершензон досконально изучал то, что любил. И у него был — и есть — самый тонкий на свете вкус.

Благодаря Гершензону я снова стала ходить в Мариинку — то вместе с ним, то отдельно. Я окунулась в его сложно устроенный, эгоистичный, глубокий и завораживающий мир, он стал для меня очередным университетом. Что находил во мне он — даже не знаю. Удивляюсь до сих пор.

Ты ревновал к этой духовной близости, к тому влиянию, которое на меня оказывал Пашка, к вещам, которые он мне открывал. Раньше мы до утра могли болтать с тобой на кухне. Теперь я всё чаще уходила в свою комнату, закрывала дверь и говорила по телефону с Пашкой — тоже часами. Я увлеклась его друзьями — Лёней Десятниковым, Аркадием Ипполитовым. Ты тоже их знал, но близок с ними не был: совсем другой круг, другие интересы — классическая музыка, классическая живопись и скульптура, архитектура, опера, балет — другой спектр эмоций, другие культурные ассоциации. Как и Пашка, я была околдована лунным талантом Лопаткиной, ее трагически отрешенной пластикой и всё чаще вечерами пропадала в Мариинке. Ты к балету был равнодушен, а я увлекалась им всё больше. Мы с Пашкой однажды написали вместе статью для "Коммерсанта" — про французский балет, посвященный Нижинскому. До этого я писала статьи только с тобой. Это была своего рода измена, хотя в ревности к Гершензону ты бы никогда не признался.

Раньше ты посмеивался над моими интеллектуальными лакунами и вкусовыми огрехами и называл меня, выросшую на пролетарской улице Замшина, "Замшинка ты моя!" Теперь за мое образование и за мой вкус Гершензон отвечал едва ли не больше, чем ты.

Ты нравился Гершензону, он восхищался твоими мозгами, чувством юмора, артистизмом, академическим знанием кино. Но дружить вы едва ли смогли — ты выбирал в друзья отчаянных, неправильных, молодых, слепо обожающих тебя или тех, с кем у тебя было общее прошлое. Лёня Десятников однажды сказал о тебе: "Добротворский — он такой ножевой". Действительно, в тебе было нечто колюще-режущее, даже в твоих заостренных, чуть птичьих чертах лица.

И в друзьях у тебя ходили всё больше полуподпольные ножевые парни.

Мое сближение с Гершензоном было, вероятно, частью естественного процесса: не могли же мы с тобой всю жизнь не разлипаться, как сиамские близнецы. Когда-то я вырвала тебя из твоего круга (твоих кругов) — все наши интересы и страсти стали общими. Теперь я сделала шаг в сторону.

И — по логике вещей — твои интересы и страсти должны были вернуться к тебе.

22 октября 2013

Иванчик, сегодня я летела из Москвы в Париж. Позади меня в самолете сидели двое мужчин с пивными животами. Пили шампанское со сверхзвуковой скоростью и называли друг друга Серегой и Лехой.

Сразу вспомнила, что Гершензон называл тебя Серегой (Пашка вырос в маленьком промышленном Серове). Трудно было представить более неподходящее тебе имя.

Моего нежного деликатного Сережу никак невозможно назвать Серегой.

У него и вовсе нет никакого образования. Стоит мне сказать о ком-то "потрясающе образованный", как он съеживается:

— Ты же знаешь, я даже школу не закончил.

Знаю. Но во многих вещах он разбирается куда лучше меня — в информационных технологиях, в политике, в инновациях, в коммуникационных системах, в работе больших студий, в спецэффектах. Ну это-то понятно, он компьютерщик.

— Тебе, наверное, со мной совсем не интересно? — спрашивает он.

Нет, мне с ним интересно. С ним я осознала, что душевная тонкость и чуткость не связаны ни с уровнем образования, ни с количеством прочитанных книг. И что рефлексия бывает интеллектуальная, а бывает эмоциональная — и последняя часто оказывается глубже. Меня восхищает его способность мгновенно добывать нужные сведения из огромного мутного информационного потока. В нем срабатывает какая-то удивительная интуиция, благодаря которой он постигает системное устройство окружающего мира. И я думаю, что столкнулась здесь с каким-то совсем новым для меня типом интеллекта.

А Гершензон на все мои жалобы отвечает:

— Кари-и-ина! Опомни-и-ись! Или тебе мало было интеллектуалов? Молодой и красивый, чего еще надо!

Чего еще мне надо?

72

25 октября 2013

Когда у меня появились первые вещи от Татьяны Котеговой? Году в девяносто четвертом? Или девяносто пятом?

К Котеговой меня отвела Элла Липпа. С ней мы тоже познакомились в "Сеансе". Элла была намного старше меня — но как будто даже моложе. Живая, стриженая, с грустными коровьими глазами, с прекрасным литературным вкусом, с едким юмором и с богатым любовным опытом. Даже в зрелом возрасте у нее были романы с молодыми и красивыми. Недавно она сказала мне: "Ничто так не старит женщину, как молодой любовник". Вот это да! А я-то считала, что Сережа возвращает мне молодость. Помню, как она посоветовала мне убрать из текста словосочетание "молодая Вертинская".

— Это еще почему? Что тут такого?

— Ни одной женщине не хочется прочесть о себе, что она уже немолодая.

Ей было тогда больше лет, чем мне сейчас. В "Сеанс" ее взяли по протекции композитора Лёни Десятникова — причем даже не редактором, а корректором. Довольно быстро стало понятно, что никакой она не корректор, а самый настоящий — и очень тонкий — редактор. Люба тогда сказала: "Элла, вы не кассир, вы убили кассира".

Элла меня многому научила. Например, выбирать одежду в комиссионках. Она как-то безошибочно вытаскивала из груды тряпок именно то, что было нужно мне. Платье-матроску, пальто-шинель, черную сумку на длинном ремне. Всё это я и сейчас с упоением бы носила. Я любила мужские вещи и галстуки. Она качала головой:

— Уж слишком по-лесбийски, особенно с вашей короткой стрижкой.

Я любила — и люблю до сих пор — надевать грубые ботинки. Элла говорила:

— Только с женственным платьем.

Я выбирала модные тогда легкие духи с кислородно-арбузными запахами.

— Не надо, ими душатся все. Эротичные духи должны слегка отдавать трупом (!). Ну или быть умными.

На такие "умные" духи — *Knowing* от *Estée Lauder* — она подсадила меня на несколько лет. Они мне нравятся до сих пор.

Именно Элла отвела меня к Тане Котеговой. Сказала, что это талантливый модельер и интересная женщина. Ну, не совсем модельер, а скорее кутюрье, портниха в лучшем смысле слова. Вещи делает качественные, классические, женственные, их можно носить годами. Крохотное Танино ателье находилось неподалеку от "Ленфильма", на Каменноостровском. Я попала в волшебный мир. Опьянела от количества красивых вещей, чувственных тканей, старинных зеркал, от самой рыжеволосой Тани с выбеленным безбровым лицом и узкими глазами, похожей на Сильвану

Мангано и на Соню Рикель. Котегова надевала на меня платье за платьем, костюм за костюмом. Я смотрелась в зеркало и испытывала примерно то же чувство, как когда-то в Америке, когда парикмахер Питер остриг мои длинные волосы.

Снова мне казалось, что я впервые вижу себя. Узнаю себя настоящую. Вот в таких длинных, до щиколотки, платьях, в шелковых белых блузках с удлиненными, как у Пьеро, рукавами, в мягких полосатых костюмах-тройках, надетых на голое тело. Из зеркала на меня смотрела другая женщина. Даже фигура изменилась: откуда-то появилась талия, распрямилась спина, вытянулась шея, запястья и щиколотки оказались тонкими и породистыми. Котеговские вещи стоили по тем временам огромных денег, позволить их себе я не могла. Но я уже знала, что должна их иметь! Самым дешевым было длинное шерстяное, скроенное по косой, "школьное" черное платье с белым круглым воротничком и белыми манжетами. Я заказала его, также купила сливочную шифоновую блузку с пуговичками, обтянутыми атласной тканью, — в ней был какой-то изъян, вроде зацепок, так что можно было взять задешево. И еще заказала длинную, почти до пят, черную юбку, сшитую клиньями, и блузку в белый горошек. Как буду расплачиваться, не задумывалась. Пребывала в состоянии счастливого опьянения. Котегова потом жаловалась Элле:

— Ведь я для таких женщин и шью! Высокая, красивая, умная, такая шикарная стрижка! А выбрала всё самое банальное и дешевое, ну как же так!

Вечером я, захлебываясь, рассказала тебе про Котегову и про то, что я наконец-то обрела себя, свой стиль, свое "дамское счастье". Ты внимательно выслушал, сказал, что деньги попробуем найти — вроде есть какая-то заначка.

— А можно я закажу костюм-тройку? Серый?

— Он сколько стоит?

— Тысячу долларов, кажется.

— Иванчик, ты с ума сошел? Ты — дай бог — двести в месяц зарабатываешь.

Но в меня уже проникла эта отрава. Одежда стала моим наркотиком — на много лет. Самым опасным было то, что одеваться я не умела. Я верила в то, что одна базовая вещь делает образ, а значит — вещь должна быть дорогой, брендовой, роскошной. Я не понимала, что образ создается сочетанием разных вещей, совсем не обязательно знаковых — и даже не обязательно красивых. И уж совсем не обязательно дорогих. А тогда я чувствовала себя сказочной замарашкой, которую котеговские наряды превращают в принцессу, замирала от счастья, купив очередную вещь. Я, как Лев Бакст, написавший об этом в одном из писем, верила в то, что, надев новый костюм, я начну волшебную новую жизнь — как новую пьесу. Во мне медленно, но неотвратимо рождалось желание перемен. Но я этого, конечно, не понимала. И не понимала, что, вместо того чтобы купить пять новых платьев, нужно купить хотя бы пять правильных аксессуаров — без них платье будет выглядеть случайным и даже нелепым.

Следующий год прошел в попытках заработать деньги на то, чтобы купить побольше котеговских вещей. Мне казалось, что я зарабатываю сама — вот написала еще статью, вот начала делать колонку для английской газеты. Но, конечно, зарабатывал на мой новый гардероб ты. В итоге у меня появилось три костюма-тройки. Вечерний — свободный, атласный, черный. Повседневный — двубортный, полосатый, серый. Еще один черный — мужской, узенький. Таня завязывала мне на шею платочки — вместо дешевых украшений, которые я до этого так любила. И объясняла, как правильно подбирать к вещам обувь. Но мне ее советы казались невыполнимыми. Что значит надеть зеленые остроносые замшевые ботинки с черным костюмом? Я же буду похожа на клоуна? Как многие неуверенные в себе люди, я предпочитала минимализм, который Вивьен Вествуд однажды точно назвала "страхом совершить ошибку". Вся моя обувь была похоронно-черной.

Какие-то из нарядов от Котеговой сохранились у меня до сих пор. Больше всего я любила длинное махровое бежевое пальто-халат, оно и в самом деле было роскошным. Когда и как я от него избавилась — не помню. Несколько раз в жизни у меня случались истерические приступы, когда мне хотелось выбросить большую часть своих вещей — а вместе с ними выбросить и часть своего прошлого. Если бы это было так легко...

Ты к моему фанатичному увлечению относился спокойно. Котеговские вещи тебе скорее нравились, хотя безумного восторга не вызывали, были уж слишком женственными, слишком классическими. Тогда я надолго отказалась от джинсов с футболками и курток. Тебе было приятно, что ты можешь позволить себе одевать меня так, как мне хотелось. Почти все деньги уходили на мою одежду. Не помню, чтобы ты когда-либо сказал мне "нет". Ты говорил: "Попробуем". Пытался где-то заработать, получить очередной гонорар, прочитать очередную лекцию.

А мне всё было мало, хотелось еще и еще. Соблазн был огромным. Однажды ты сказал мне:

— Если бы ты жила в Москве, ты, наверное, уже была бы главным редактором какого-нибудь "Домового".

Меня это позабавило — "Домовой" был тогда единственным глянцевым журналом в стране. Ты оказался, как всегда, прав — примерно там я в конце концов и очутилась.

Желание денег разъедало душу. Я задумывалась о другой карьере и другой работе.

Мысль о другом мужчине в голову не приходила.

73

266   29 октября 2013 года

— Иванчик, не связывайся с маманей, — сказал ты,
когда Люба Аркус предложила мне поработать редактором в "Сеансе" на полставки. — Потом будет не
уйти. Выбираться из "Сеанса" надо очень аккуратно,
как ногу из болота тащить.

Дело не в том, что ты не любил Любу, "рыбу души
твоей". Ты по-своему любил ее. Но ты предпочитал
держаться подальше от чрезмерных женских эмоций
и от компаний единомышленнников, склонных
к пению хором. Как однажды сказал Лёня Десятников:
"От них несет смрадным дыханием нашего детства".

— Имей в виду, на полставки не получится, —
сказал ты. — Будешь там дневать и ночевать.

Я не послушалась. Во-первых, я была уверена, что
смогу держать дистанцию. Почти везде и всегда мне
это удавалось. Во-вторых, мне нужны были деньги,
а Люба — даже на полставки — платила больше, чем
я получала по ставке старшего преподавателя.
И в-третьих, мне было интересно попробовать себя
в качестве редактора.

Зачем я нужна была Любе? Иллюзий у меня не
было. Заполучив меня, Люба хотела приблизить
к "Сеансу" тебя, который умело держался в стороне.

В целом у нее это получилось. "Сеанс" плотно вошел в нашу жизнь. Мы обсуждали его, говорили о Любе, о ее ошибках, перегибах, о ее пристрастности. Теперь я по ночам вела с Любой долгие телефонные беседы — в том числе и о тебе. Ей нужна была свежая кровь. Она приводила меня домой, называла "маманей маленькой", кормила домашней стряпней. Она курила сигарету за сигаретой, пила за стаканом стакан, обожала вкусно поесть, прекрасно готовила, басом рассказывала о самом главном. Меня ошеломляла ее способность жить на полную катушку, отдаваясь и своей миссии (журналу), и своим мужчинам, и своим друзьям. Но это слишком плотное общение меня опустошало. Любу ничего не удовлетворяло наполовину: ни полбутылки, ни полтарелки жареной картошки, ни полчеловека. Но целиком я не давалась — меня придерживали ты и Элла Липпа. Элла с ее житейским умом и опытом сразу поняла, что чрезмерной дружбы с Любой надо избегать, и осторожно мной в этом смысле руководила. Ты качал головой:

— Иванчик, будь осторожен, это плохо кончится.

Редакторская работа мне нравилась, тем более что первый номер, который я делала, был посвящен кино и моде. Я еще не знала, что моя жизнь так или иначе будет связана с модой, но что-то такое подозревала. Как будто кто-то мне шептал: "Тепло, тепло, еще теплее". Да и Котегова, с ее длинными платьями и роскошными пальто, возникла в моей жизни не случайно.

Делать журнал, продумывать его структуру, его логику, подбирать фотографии, темы — всё это было увлекательно. Единственное, что я делала через силу, — это звонки авторам. Я была по-прежнему болезненно застенчивой, и набрать номер телефона незнакомого человека было для меня мучением. Удивительное дело — я до сих пор такая. С годами я обрела необходимые навыки, но дается мне это нелегко.

Несколько раз я все-таки теряла контроль и напивалась в зюзю на сеансовских ночных посиделках. Ты, который всё еще не пил, относился к моим "запоям" с нежной снисходительностью, с высоты былого алкоголического опыта — как будто моя пьяная беспомощность делала меня ближе, человечней, зависимей от тебя. Однажды я напилась до обморока на банкете после защиты Брашинского. Пили водку под названием "Зверь" с рекламным слоганом "Похмелья не будет". Вы с Брашинским буквально на себе тащили меня в квартиру на Правды. Поили чаем. Ты заставлял меня открывать рот и пихал в него мед:

— Съешь ложечку, Иванчик, тебе поможет, послушай меня!

Несколько раз Люба брала меня с собой в Москву. Оруженосец из меня получался сомнительный, но наперсница и спутница — вполне. Люба привезла меня в качестве редактора "Сеанса" на московский фестиваль, познакомила со множеством известных людей.

Люба, с ее утробным женским чутьем, прекрасно чувствовала, что со мной происходит, чувствовала мое желание перемен. Не то чтобы она меня в эту сторону толкала, вовсе нет. Но она была уверена в том, что сопротивляться бесполезно.

А я действительно готова была влюбиться.

В кого же я могла влюбиться? В Москве Люба отправила меня к Ивану Дыховичному — взять у него интервью для "Сеанса". Интервью это нам было не так уж нужно, да и информационного повода, как сейчас говорят, не было. Но ей хотелось свести меня с Ваней, показать нас другу другу — незадолго до этого он расстался с Татьяной Друбич. Я была приглашена в его немыслимо дизайнерскую по тем временам квартиру: белые стены, барная стойка, в ванной — хром и черные мраморные мыльницы. В ответ на мои высосанные из пальца вопросы долго и страстно говорил о себе. Но меня отталкивали мужчины, упоенные собой. В мужчинах мне нравилась едва заметная уязвимость, внутренняя хрупкость. Я сторонилась тех, кто слишком хорошо осознает свою привлекательность, а Дыховичный — с его актерской природой — был именно таким. Кстати, и в тебе, и в Сереже мне нравилась ваша незащищенность, ранимость. Сколько бы я ни повторяла, что жду от мужчины силы и уверенности, западаю я все-таки на других. Мне всегда нравился Джереми Айронс с его печальными собачьими глазами, с его ролями страдальцев (ты его называл "виктимным типом", но последние лет десять он специализируется на голливудских злодеях). А в Сереже меня трогало, что он не догадывается о своей замечательной красоте или — по крайней мере — ее стесняется.

Я Дыховичного, впрочем, тоже никак не заинтересовала. К концу интервью к нему пришла юная рыжая длинноногая красавица с коробкой мини-пирожных. Разговор сошел на нет, мы допили чай и на том расстались. Он интересовался у Любы, когда же будет напечатана его беседа с Кариной Добротворской. Люба отбалтывалась. Через несколько месяцев в каком-то журнале я прочла интервью Дыховичного, в котором он пересказал эту историю. Вот пришла молодая симпатичная критикесса, но, увидев его девушку, потеряла всякий интерес и скисла. Что ж, наши с Любой намерения, в которых мы сами не до конца отдавали себе отчет, он угадал по-режиссерски точно, ничего не скажешь. Хотя, честно говоря, скисла я задолго до того, как увидела девушку с пирожными.

Я рассказала тебе и про рыжую модель, и про дизайнерскую барную стойку. Но зачем я к нему пошла, ты так и не узнал, хотя вполне возможно, ты догадывался. Допускаю, что ты уже о многих вещах догадывался.

На этом московском фестивале я познакомилась с Лешей Тархановым.

75.

Почему? Почему мне нужен был кто-то еще? Чего мне
не хватало? Ведь ты знал, что я тебя всё еще люблю.
И отношения у нас были совершенно живые, и желание не пропало, хотя было не таким страстным. И нам
по-прежнему было интересно вместе — всегда.
Я с тобой много смеялась, а ведь смех — лучшее
топливо для счастливого брака.

Тогда — почему?

Было много причин.

Я отдалилась от тебя внутренне, у меня появились
собственные интересы.

Я была разочарована, расстроена тем, что ты так
и не снял своего кино, так и не сделал ничего, достой-
ного твоего дара. Мне казалось, что ты недостаточно
честолюбив, что ты слишком боишься совершить
ошибку. Я ждала от тебя большего. И не понимала, что
значат твои отчаянные слова, которые продолжают
меня жалить:

— Мне не нужна твоя правда, мне нужна
твоя вера!

Мой Сережа недавно сказал то же самое — почти
теми же словами. Никому не нужна правда? Всем
нужна вера? Потому что вера и есть любовь?

Я не выносила твоих маргинальных друзей, твои маргинальные пристрастия, твои увлечения маргинальными людьми, которых ты додумывал (как я умею додумывать своих возлюбленных). Мне казалось, что всё должно быть крепким, устойчивым — буржуазным. Мир вокруг такой быстрый, такой изменчивый, в нем столько возможностей. А мы стоим на месте.

Я тосковала по новым чувствам. Я не могла поверить, что больше не будет дрожащих рук, стучащего сердца, сумасшедших поцелуев. Семейный покой я про себя называла рутиной. Мысль о том, что рутина и счастье могут состоять в родстве, была для меня почти кощунственной. И я начала вертеть головой по сторонам. А когда смотришь в сторону, со стороны кто-то появляется. Так я влюбилась в Сережу — я просто была к этому готова.

И наконец, я боялась. Иванчик, я боялась, что ты в любой момент рухнешь в пропасть и утянешь меня за собой. Я эту опасность чувствовала кожей. Летом 1995 года тебя не было с нами на Московском кинофестивале, ты был в Нью-Йорке, с Брашинским. Поехал ты в гости, читал лекции, делал какую-то исследовательскую работу? Из памяти это исчезло. Помню только, что тебя не было, перезванивались мы не часто, говорили коротко. Наверное, я сказала тебе по телефону, что познакомилась с Тархановым — в гостях у Плаховых.

— И как тебе Лешечка? — спросил ты.

— Очень странный, слегка отмороженный, — сказала я.

— А мне Лешечка нравится, он неприятный!

Слово "неприятный" было в твоих устах скорее комплиментом, ты любил "неприятных" людей, не вмещающихся в обыденные рамки. В случае с Лешей ты имел в виду его легкий снобизм, холодную сдержанность, неизменную иронию, "высокую культуру отказа", глубоко утрамбованные чувства, вернее — внешнее их отсутствие. Он молчал, явно скучал, в разговоре почти не участвовал, слегка раздражался на Любу, но был безукоризненно вежлив и ровен. Напоминал умную сонную сову — пиджак, очки, длинный нос, тонкие губы. Довольно высокий, чуть грузный, неспортивный.

Никакого взаимного интереса в тот вечер у нас не возникло. Поэтому я об этой встрече тебе спокойно рассказала.

Я вернулась в Питер. Уже шел август — мы с Мурзенко отправились в Пулково встречать тебя из Нью-Йорка. Помню, как мы увидели тебя, проходящего таможенный контроль. Ты был в голубой джинсовой куртке. Увидел меня, как-то натужно и грустно улыбнулся. Я ужаснулась. Лицо у тебя было чужое, серое, изможденное, почти некрасивое. Глаза — потухшие, волосы грязные. На скуле и у рта — какие-то красные фурункулы. Что это, откуда? Ничего подобного раньше с тобой не случалось. Впервые ты не показался мне красивым. Напротив, мне стало почти стыдно, когда ты вышел и обнял меня:

— Видишь, Иванчик, какая у меня страшная рожа.

— Вижу. А что с тобой?

— Не знаю, гадость какая-то выскочила на лице. Пройдет.

Про Америку ты ничего не рассказывал. Но такого просто не может быть, наверняка рассказывал. Но я не помню ни-че-го! Не помню, привез ли ты мне что-нибудь оттуда. Брашинский говорил, что в Америке в то лето ты много пил и курил траву. Но это не важно. Важно, какой ты приехал — чужой, опустошенный, страшный.

— Ты пил? — спросила я.

— Совсем чуть-чуть, Иванчик, не бойся, — ответил ты. И добавил твое любимое: — Я свою норму знаю!

Несмотря на то что мы не виделись несколько недель, спать с тобой мне не хотелось. Но я боялась тебя задеть, боялась, что ты подумаешь, что я не хочу тебя из-за твоих прыщей. Мне было тебя жалко — из-за твоего лица, всегда такого прекрасного, а сейчас изуродованного. Но я не сказала тебе об этом. Мы занялись любовью — как-то формально и без особого желания. Чулок я не надевала. Мы делали это с закрытыми глазами, молча. Раньше ты мог прошептать что-то страстное — но не в этот раз.

В этот день тебе позвонил Леша Тарханов, сказал, что приехал в Ленинград — повидаться со здешним отделом культуры — и что вечером он будет в гостях у Любы Аркус. Хорошо, если бы мы тоже пришли. Ты устал после перелета, вяло спросил:

— Может быть, не пойдем? Так неохота. Ты же знаешь маманю, это растянется до утра.

— Неудобно не пойти. Все-таки он твой начальник. Да и маманя обидится.

Ты заклеил самый страшный прыщ пластырем — но так ты выглядел еще хуже. Я была одета в чаплиновском стиле — черный маленький смокинг, черные широкие штаны и белая рубашка с черным галстуком, со встрепанной мальчишеской прической. Ты внимательно оглядел меня с головы до ног:

— Тебе очень идет, Иванчик. Но зачем ты такая нарядная?

В дверях ты остановился, снова спросил:

— Может, все-таки не пойдем?

Иногда я думаю, что было бы, если б я вдруг сказала:

— А давай не пойдем!

И мы остались бы с тобой дома, сели бы болтать и пить чай. Изменило бы это что-нибудь?

Или твой гибельный вектор не зависел от меня?

76.

5 ноября 2013

Что произошло в тот вечер у Любы?

Еще в прихожей, куда Леша вышел нас встретить, он посмотрел на меня удивленно, как будто видел в первый раз — хотя формально мы познакомились с ним раньше, в доме у Лены и Андрея Плаховых. Весь вечер он не сводил с меня глаз. Мы пили красное болгарское вино и пели советские песни — как ты и предсказывал, до глубокой ночи. Меня поразило, что Леша, не имеющий ни слуха, ни голоса, знает наизусть тексты всех песен. Его мама, Екатерина Тарханова, была замечательным радио- и телережиссером, придумавшим воскресное "С добрым утром!" (радио у них в доме работало непрерывно). Ты, напротив, обладающий прекрасным слухом и хорошим голосом, текстов не знал. К тому же был измучен джетлагом и никак не проявлял свой артистизм. Заметил ли ты, что происходило между мной и Лешей в тот вечер? Думаю, да — не заметить это было невозможно. Но ты никак не отреагировал и ничего мне потом не сказал. То ли потому, что устал. То ли потому, что всё еще мне доверял. То ли потому, что предпочел не заметить. Скорее всего — и то, и другое, и третье.

Глубокой ночью мы вышли из Любкиной квартиры. Леша, которого все считали почти патологически сдержанным, был возбужден, хотел купить в киоске шампанского и продолжать, продолжать, продолжать, но ты жестко сказал, что нам пора. На лестнице не горели лампочки, была кромешная тьма. Леша, идущий впереди, протянул мне руку (почему он, а не ты?). От этой дрожащей руки в темноте меня ударило током. Всё было ясно.

На следующий день Леша пришел в "Сеанс" — вместе с коммерсантовской коллегой. Я с какой-то тоскливой обреченностью и сильно стучащим сердцем смотрела, как они идут по двору. Прекрасно понимала, зачем он пришел.

Когда они ушли, наблюдательная Элла Липпа сказала мне:

— Карина, он приходил ради вас. Он совершенно потерял голову, весь дрожал. Он не мог смотреть на вас и не мог на вас не смотреть.

Я это и сама видела. Сейчас мне кажется, что в тот момент я уже знала, чем всё кончится, — слишком решительным было его чувство.

В тот вечер я сказала тебе, что Леша приходил в "Сеанс".

— Зачем? — вяло поинтересовался ты.

— Ну не знаю, Любку повидать или еще зачем-то, — ответила я. Сердце колотилось — я тебя обманывала. И добавила, что Тарханов обещал сводить меня на следующий день в Эрмитаж со служебного входа — какая-то там крутая выставка.

— Ну-ну, сходи.

В тот Лешин приезд между нами ничего не произошло — разве что мы поцеловались в щеку на прощание (Леша потом вспоминал, что потянулся к моим губам, но я отдернула голову). Через две недели он

приехал снова, выдумал какие-то проблемы с питер-
ским отделом. Потом еще раз. Потом стал ездить
в Питер по нескольку раз в месяц. Это продолжалось
почти год. Мы встречались в гостиницах, чаще всего —
в "Москве" (около Александро-Невской лавры), где он
останавливался. Подробности я тебе рассказывать
не буду. Я ведь пишу о нас с тобой, а не о нас с ним.

Но всё равно что-то рассказать надо? Я примерно
представляю, какие вопросы ты мог бы задать мне сейчас. Но мне и самой до сих пор не всё понятно.

Влюбилась ли я в него? Да, безусловно, что бы кто
ни думал. Меня сбила с ног его одержимость мною,
никак не сочетающаяся с его хорошо темперированным
образом расчетливого удава в сиропе. Меня заворажи-
вали страстные письма, которые он писал мне каждую
неделю аккуратным убористым почерком (мы обычно
отправляли письма по почте — до востребования).
Меня пленяли его безупречные манеры, его вежливость, его искушенность — он знал толк в еде,
во французских винах, водил меня в дорогие рестораны,
разбирался в модных брендах, был знаком со многими
знаменитыми людьми. Будучи заведующим отделом
культуры, он обладал большой властью — в том числе
и над нами с тобой, кстати. Был ироничен, циничен —
хотя никогда по отношению ко мне или к тебе. У него
был прекрасный вкус, крепкие нервы, чутье на
пошлость — твой откровенный романтизм тут же стал
мне казаться слишком пафосным, даже старомодным.
Леша быстро понял мое эротическое устройство
и научился им виртуозно управлять — точнее, чем кто-
либо из предыдущих моих мужчин: это тоже сыграло
важную роль. Леша был буржуазен — в лучшем смысле
слова. Ценил деньги и всё, что они могут дать, умел их

считать, не выносил истерик и эксцессов, хотя любовь ко мне была, конечно, эксцессом, взорвавшим его устойчивый мир. Он мог работать в офисе днем и ночью — не только потому, что был дисциплинирован, но и потому, что любил работать. Он был талантлив. По-другому, не так, как ты, но он умел жонглировать изящными мыслями, сыпать парадоксами, играть словами и — как он любил говорить — "доставлять читателю удовольствие". Мне, уставшей от постоянного ощущения опасной жизни, всё это казалось воплощением надежности, незыблемости и благополучия.

Но главное — я чувствовала, что здесь у меня может быть семья. Настоящая семья: дом, воскресные обеды, традиции, дети — уверенность в завтрашнем дне.

Всё то, что не получилось у нас с тобой.

77

6 ноября 2013

Сегодня — еще одна больная тема. Деньги.

Я знаю, что многие говорили тебе (и мне), что я ушла к Леше из-за денег. Знаю, что ты сам эту версию несколько раз повторял. Это неправда. Хотя деньги были важны, конечно. Они всегда важны — особенно когда их нет.

Лена Плахова, пересказывая обвинения друзей и родственников Кролика в мой адрес, говорила:

— Ну какие такие деньги? Я всем отвечаю: "Она ведь не к олигарху Березовскому ушла, а к Леше Тарханову из отдела культуры".

Ну не Березовский, конечно, но по сравнению с нами Тарханов был сказочно богат. Моя зарплата была примерно 200 долларов — в рублевом эквиваленте. Ты зарабатывал, может быть, 300–400 — включая разные халтуры. А Леша получал 2000 долларов в месяц — по тем временам немыслимые деньги. Мы не копили. Не умели. Не знали на что. Всё уходило на жизнь и на мою одежду. Ничегошеньки не оставалось. Но ощущения бедности не было. Его не бывает, до тех пор пока не с чем сравнивать. А тут появился Леша — и начались сравнения. Рестораны, где счет равнялся твоей месячной зарплате. Ручка *Cartier* в подарок — половина моего жалованья. Бутылка вина, которая стоила столько же, сколько мои туфли. Это было ново.

Когда я переехала к Леше в Москву, с собой у меня была только сумка с бельем и котеговскими вещами. Ни денег, ни работы — ничего. Я полностью от него зависела. Уже через несколько месяцев начала работать — мне было важно иметь свои деньги и самой ими распоряжаться. Спустя несколько лет я стала зарабатывать больше, чем он. Потом — намного больше, чем он. Леша отнесся к этому со спокойным достоинством, что бы он по этому поводу ни чувствовал. В какой-то момент у меня, как у многих в России, из-за денег поехала крыша — чем больше их было, тем больше их не хватало. Вроде их много, но купить дом в Подмосковье мы не можем. Не говоря уж о вилле в Италии или в Провансе. Значит, у нас недостаточно денег? Ты когда-то поставил новые деньги в связь с новыми страхами: "Страх человека перед тем, что ему не выплатят зарплату, и страх человека перед тем, что его убьют за двухмиллионный долг, — нам стало сложнее понимать друг друга. Страх, еще недавно объединявший нас, стал многоликим и изменчивым".

В России кажется, что миллионы свистят вокруг твоей головы, как пули, — с одной стороны, с другой. Совсем близко. Стоит протянуть руку — и они твои. Но деньги пролетают мимо, а иллюзия, что они рядом и почти твои, — остается.

Я знаю многих людей, которые много лет пытаются поймать эти золотые пули, свистящие у виска. У меня моментами было такое чувство, что и я смогу. Сейчас, живя в Париже, я наконец успокоилась. Я поняла, что у меня есть всё. Что денег у меня столько, сколько нужно. Видимо, парижская культура старых денег

(Бальзак с его Гобсеком и папашей Горио, чековые книжки, ростовщики) ставит мозги на место. Да, это очень буржуазный город, однако в его буржуазности нет иррациональности, нет безумия, которое отравляет многих в России. В том, как люди зарабатывают и тратят, есть логика, трезвый расчет, вековые традиции и — скромность. "Жадность?" — спросил бы ты. Скорее скупость. Но в этом нет ничего ужасного. Петрарка говорил, что скупость сродни жестокости. Жестокости? Не уверена. А вот равнодушию — может быть. Но иногда такая скупость лучше, чем истерическая олигархическая щедрость, на которую так рассчитывают русские девушки, торгующие своей красотой, и русские художники, спекулирующие своей харизмой. И знаешь, это замечательное чувство, что ты зависишь только от себя. Ты можешь позволить себе всё что угодно. Даже влюбиться в парня, у которого нет ни денег, ни работы.

Думаю, что Сережина неприязнь к Москве объясняется не отсутствием солнца, а российским культом денег.

Каждый раз, когда я должна за него платить (а мне приходится за него платить, если я хочу поддерживать тот образ жизни, к которому привыкла), он внутренне сжимается. Планирование путешествия или выбор отеля оборачивается для него очередным унижением. На романтические поступки он способен, пока может эту романтику себе позволить — например, приехать ко мне в Лондон, где я была всего два дня. Мы оба чувствуем эту неловкость. Однажды он сказал:

— Насколько было бы легче, если б у тебя тоже ничего не было.

— Я не хочу, чтобы у меня ничего не было, я всё это заслужила.

Мысль, что надо работать ради денег, ему противна. Он верит, что нужно зарабатывать, занимаясь только тем, что нравится. Это меня трогает. Но в то же время раздражает. Я не понимаю, как можно не работать. Не понимаю, как можно провести целый день, не сделав ничего, просто попутаться в сетях и поинтересоваться интересным. У Сережи при этом нет ощущения, что день прошел зря.

Ты бы так не смог. Я часто думаю о твоем инстинкте саморазрушения, но редко вспоминаю, что ты был человеком созидательным. Я не помню дня, когда ты не работал бы, не писал, не читал. Ты работал даже тогда, когда отдыхал. Написала "отдыхал" и сообразила, что ты никогда не отдыхал. Мы с тобой ни разу не были в отпуске, ни разу не выбирались на уикенд, ни разу не путешествовали вместе. В те несколько выходных, когда я силком вытаскивала тебя на родительскую дачу в Лемболово, ты тихо томился, увиливал от купания и походов за грибами, испытывал ломку без ежедневной дозы фильмов и в конце концов уходил на чердак — работать и курить. Ты был человеком урбанистического склада, всегда предпочитал мегаполис природе. Все твои любимые фильмы по большей части были сняты в городах. Хотя ты восхищался, например, тем, как чувственно сняты колышущиеся поля в "Днях жатвы", течение реки в "Аталанте" или вулкан в "Стромболи". Ты отдавал должное этим библейским плодородным природным колыханиям, но в твою киномифологию такие фильмы входили редко.

Думать и говорить о деньгах ты не любил. За халтуры брался — и мы никогда ни в чем не нуждались. Но ради денег не стал бы выворачиваться наизнанку и делать то, что тебе противно. Деньги нужны были, чтобы о них не думать, вот и всё. Сейчас нашла твое письмо к Брашинскому в Америку, написанное в 1989 году, где ты упоминаешь питерского продюсера Аду Ставискую. И в скобках восклицаешь: "Как с такой фамилией можно заниматься деньгами?!?!" (Ты имел в виду "Ставиского" Алена Рене с Бельмондо в заглавной роли.) Вот и ты — не мог. Работал как подорванный — но не мог.

Возвращаясь домой, я спрашиваю у Сережи:

— Что ты сегодня делал?

— Да ничего особенного: что-то читал, посмотрел несколько новых серий *Mad Men*, вынес мусор, помыл машину.

— И всё? — спрашиваю я.

— А что ты еще хотела бы?

Что-то хотела бы. Что-то еще. Он думает, что замечательная работа найдет его сама — стоит только сформулировать, чего он хочет. Элла Липпа когда-то, смеясь, рассказывала, как искала работу, просматривая тучу объявлений. Но ничто не казалось ей достойным себя.

— А потом я поняла, что ищу объявление, в котором будет написано: "Требуется Элла Липпа".

Вот и мой Сережа ждет чуда, волшебного стечения обстоятельств. Но в нем нет энергии желания.

Если моя любовь начнет таять, то не потому, что он не знает, кто такой Джойс, и не смотрел Орсона Уэллса. Моя любовь может угаснуть из-за отсутствия в нем созидательной энергии, которая так необходима мужчине.

Я слишком требовательна? Даже жестока к нему?

А может быть, всё просто: ему нужна моя вера, а не моя правда.

78.

Привет, мой Иванчик! Из первых месяцев моей жизни
во лжи я больше всего запомнила момент, когда разрешила Леше зайти к нам домой. На улицу нашей Правды. Ты в это время был в Киеве, на фестивале
"Молодость", а я почти два дня провела с Лешей
с гостинице с роковым названием "Москва". Мы
вошли в квартиру, которую я любила и считала уютной,
удобной и вполне себе достойной. Но, как только он
переступил порог, я вдруг увидела "Правду" другими —
Лешиными — глазами. Маленькая, нищая, тесная
квартирка с криво положенной плиткой, дешевыми
синтетическими занавесками, убогой старой мебелью,
загаженной газовой плитой, клетчатой клеенкой на
кухонном столе. Всё, что мы когда-то делали с такой
любовью, превратилось в тыкву.

— Ну, всё посмотрел? — спросила я. — Теперь
пойдем отсюда. Только я автоответчик послушаю.

Автоответчик был — в отсутствие мобильной
связи и регулярного интернета — важной вещью
(последние несколько лет у меня его просто нет,
а зачем?). У Леши, как у большого начальника был
пейджер, которым я иногда пользовалась. Процедура
была чудовищно неловкой — надо было позвонить

телефонистке и надиктовать сообщение. Если речь шла о делах, это еще куда ни шло ("приезжаю таким-то поездом в таком-то вагоне"). Но вот личные послания были для меня стыдным опытом публичного обнажения.

— Диктую: "Скучаю, люблю, приезжай".

— Повторите, плохо слышно. Какое слово после "скучаю"?

— Люблю...

Однажды я отправляла шуточную телеграмму в армию — своему институтскому возлюбленному. "Люблю, скучаю душой и телом. Твой оладышек". Телеграфистка подняла глаза:

— Оладышек? Я вас правильно поняла?

— Ну да, а что такого?

Я помню, как пейджеры пикали в театрах и как Бильжо рисовал карикатуры: "Он всё сбросил мне на пейджер" (кажется, речь шла о тарелке макарон, опрокинутой на чьи-то штаны). Пейджеры продержались два-три года — и канули в небытие.

Приветственное послание на нашем домашнем автоответчике мы записали вместе — ты тщательно его срежиссировал, хотя я не помню, что мы там говорили.

В тот вечер на автоответчике было, наверное, двадцать записей — все от тебя. Сначала спокойные: "Иванчик, ты куда пропал, не могу до тебя дозвониться, у меня всё хорошо". Потом всё более нервные: "Иван, отзовись, ты где? Я волнуюсь". В конце совсем истерические: "Ива-а-а-ан! Ива-а-а-ан!" По последним записям было понятно, что ты в хлам пьян.

Мне рассказывали потом про киевскую "Молодость", там ты сорвался с катушек — окруженный молодыми фанатами. Подробностей я не знала и знать не хотела — у нас обоих срабатывал защитный инстинкт. Моя мать, прошедшая химиотерапию, операции и все мыслимые онкологические кошмары, до конца верила, когда ей говорили, что умирает она не от рака, а от доброкачественной кисты, возникшей после облучения.

Так легко обмануть человека, который тебя любит.

79.

8 ноября 2013

Каким разрушительным стал для моей семьи год после встречи с Лешей! У мамы диагностировали рак матки, саркому третьей степени. Прогнозы были неутешительными, но мама оказалась борцом. Меня потрясло, как страстно она захотела жить. Но она захотела и — вопреки всем предсказаниям — протянула еще несколько осмысленных лет. Папа, обожавший маму и проживший с ней долгую счастливую жизнь, был рядом с ней — и когда она узнала диагноз, и когда ей удаляли матку, и когда надо было бесконечно таскаться по больницам, врачам и очередям, и когда надо было проходить химиотерапию. А когда болезнь на какое-то время отступила, он упал на улице и умер.

Это случилось в конце ноября. Папа ушел по каким-то бытовым делам, домой не вернулся. При его невероятной ответственности это могло означать только самое плохое. К вечеру мы обзванивали морги и госпитали. Отыскал его ты — в одной из больниц на окраине. И поехал туда ты. Папа был в глубокой коме. Ни тебя, ни маму к нему так и не пустили. Врач сказал, что поражение мозга настолько глубокое, что это несовместимо с жизнью.

Папа прожил еще два дня и умер, не приходя
в сознание. Ему был шестьдесят один год. Видимо,
в голове не укладываются слова "несовместимо
с жизнью", и мама до конца не теряла надежды.
Когда нам позвонили из больницы и сказали, что
отец умер (трубку взял ты), она была в церкви, куда
пошла ставить за него, еврея, свечку, — хотя всегда
была атеисткой. Я поехала к сестре, вдвоем мы пытались утешить маму. Я почему-то не чувствовала
отчаяния, хотя отца всегда обожала. Боль и пустота
от потери пришли позже и с годами становились всё
острее. После твоей смерти было по-другому —
дикий болевой шок, но боль постепенно уменьшалась,
и я научилась жить с этой раной. Наверное, вдовство
не бывает вечным, а сиротство — не бывает иным,
кроме как вечным.

Когда в тот день я вернулась домой, к тебе, надеясь
на твою поддержку, нежность, ласку, ты был пьян.
Не просто пьян — чужими ледяными прищуренными
глазами на меня смотрел мистер Хайд. У меня не было
сил на обвинения, не было слез. Может быть, я сказала
что-то вроде: "Ну зачем же ты так? Ты мне сейчас так
нужен". Мы привычно сели на кухне, напротив друг
друга. И ты произнес, с ненавистью цедя сквозь зубы:

— Я его тоже любил, хоть это ты понимаешь? Это
и для меня жуткая потеря. Ваша мерзкая женская поро-
да убила его. Ваша гнусная семья. Твоя мать — такая же
мразь, как и ты. Вы растоптали его.

Никогда до этого момента я не слышала от тебя
ни одного грубого слова. Но я никогда и не видела
тебя в таком состоянии.

— Иван, что ты такое говоришь, что говоришь?
Я ведь только что отца потеряла.

— Молчи, тварь! Вы же его и убили, — ты схватил лежащий на столе острый столовый нож и метнул в меня. Нож пролетел в сантиметре от моей головы, ударился о холодильник, упал на пол. Я ушла к себе и выла там, как собака. Боня растерянно бегал из одной комнаты в другую, пытаясь понять, что происходит. Не помню, куда я уехала в ту ночь. К маме? К сестре? К Любке? И почему-то не помню, куда и когда ты приполз ко мне. Ты просил прощения, хватал меня за руки, объяснялся в любви, но не помнил ни про нож, ни про "тварь и мразь". К чему-то жуткому ты прикоснулся в ту ночь. К какому-то глубинному противостоянию мужчины и женщины, к первобытному страху мужчины перед злым и темным женским началом. Но твой мозг как будто защищался от пережитого ужаса с помощью частичной амнезии.

Сейчас я понимаю, что таким образом ты пытался справиться и со смертью моего отца, и с моей изменой. Про измену ты не знал (принял решение не знать), но не чувствовать ее ты не мог — я всё больше отдалялась от тебя. Часами по ночам говорила с Лешей. Или с Любкой. Или с Пашкой. Оба они всё знали и поставлены были в неловкое положение перед тобой и Тархановым. Смерть моего отца — светлого, легкого, блестящего, остроумного — стала для тебя катализатором. Разбудила в тебе предчувствие собственной гибели. И не случайно ты произнес в ту ночь слово "растоптали".

После той ночи в моем сердце поселился страх, смешанный с чувством вины. Как будто в любой момент я могла оказаться в сцене из "Вторжения похитителей тел". В твое любимое, родное тело вселялся Чужой. И я чувствовала себя так, как будто в ту ночь я потеряла не одного, а двух самых близких людей.

Леша примчался в Питер, окружил меня любовью, комфортом, лаской, нежностью. Излучал ту самую надежность, которой мне так не хватало. В эти дни мы с ним стали ближе. Конец нашего с тобой брака был предрешен. Хотя всё еще можно было исправить. Или уже нельзя?

Мы похоронили папу. Жалкие поминки с колбасными нарезками в ресторане по пути из крематория, еврейское кладбище на окраине города. На кладбище мне дали нести урну с прахом. Страшного ощущения, что у меня в руках болтается целлофановый мешок, в котором лежит мой отец, я не забуду никогда. Ты шел рядом, держал меня за руку, но был очень далеко.

Кажется, следующие несколько месяцев ты не пил, во всяком случае, я тебя пьяным не видела. Внешне всё было нормально. Я приспособилась жить во лжи. Влюбленность позволяла чувствовать себя живой — как и нынешняя влюбленность в Сережу. Может быть, это не настоящая жизнь, а что-то вроде электрических разрядов, которые заставляют тело (и душу) содрогаться, — не знаю. Но эти разряды — тогда и теперь — были мне необходимы. О возможном уходе к Леше я не думала.

Я всё еще любила тебя, и страх мою любовь не убил.

80.

12 ноября 2013

Иванчик, я не помню, говорила ли я тебе, что в феврале у Леши Тарханова тоже умер отец. Наверняка говори-
рила, не могла не сказать, хотя совсем не помню. Леша
оказался круглым сиротой года на три раньше меня
(моя мама застала рождение Вани и первые полтора
года его жизни, но выросли наши с Лешей дети без
бабушек и дедушек). После смерти отца Леша немедленно начал переделывать его однокомнатную квартиру в Сокольниках и ежедневно по телефону
и в письмах отчитывался, как белит стены, покупает
мебель, объединяет ванную с сортиром, придумывает
кухню. Он давал понять, что это всё для нас, для меня.
"Волнуюсь, как перед визитом какого-нибудь Брежне-
ва", — писал он. Теперь я могла приезжать к нему
в Москву — он почти перебрался в этот дом рядом
с парком "Сокольники". Квартира была полной проти-
воположностью "нашей Правде" — такая белая, такая
новая, такая технологичная, аккуратно спланирован-
ная. С современной светлой мебелью, белоснежной
кухней, огромной ванной комнатой и душевой кабиной.
Холодильник был всегда набит вкуснейшими экзотиче-
скими продуктами — авокадо, креветки, крабовый
рулет, копченое мясо. В шкафу стоял ящик купленного

по случаю Сент-Эмильона *grand cru* — к тому времени я уже понимала, что это означает.

Выпутываться из кокона Лешиного обожания и возвращаться в Питер после этой красивой стерильной квартиры было всё труднее. Сравнение — раздражение — страх. Время тянулось медленно. Близился июнь — очередной "Кинотавр".

Наступило наше последнее с тобой лето.

81.

13 ноября 2013

Иванчик, ты бесконечно снимал меня маленькой любительской камерой, и у меня сохранилось много фотографий со второго "Кинотавра". Хотя бы так ты демонстрировал свое авторское видение и смотрел на мир через глазок камеры. Ты с нетерпением ждал, когда проявят пленку и напечатают картинки, — для тебя в этом был момент чуда, магии, непредсказуемости. Нынешняя цифровая эпоха, когда всё можно увидеть и поправить в процессе, убивает спонтанность, неожиданность, интригу. Всё можно отредактировать — себя, свою жизнь, свою внешность, даже свои поступки.

Ну вот, я ворчу как старуха, а ты, вероятно, восхищался бы этими фантастическими возможностями, а вовсе не оплакивал бы пленку. Хотя вот покойный Балабанов говорил, что будет снимать только на пленку, потому что пленка — живая. И что эту жизнь цифрой не подменишь.

Помню, как мы сдали пленки в какую-то маленькую сочинскую контору — для этого мы специально отправились в центр города. Потом ты гордо демонстрировал друзьям и коллегам фотографии. Кто-то, взглянув на них, сказал:

— Можно подумать, что главной звездой фестиваля была Карина. Она в центре каждой мизансцены.

Мне было неловко и приятно одновременно.

Ты волновался, когда нам надо было пройти по красной дорожке в вечер открытия фестиваля. Я была в коротком шелковом черном платье в горошек (Котегова, конечно!). Мы шли, держась за руки — я была на каблуках, почти на голову выше тебя. Благодарные сочинцы нам превентивно похлопали — на всякий случай, мало ли кто это идет. Дома, в Питере, ты вставил сочинские снимки в маленькие альбомы (ты всегда тщательно раскладывал свои фотографии, только потом я поняла, что ты таким образом их "монтировал"). На каждой фотографии была я. Это была еще одна версия "Девчонки с причала", еще одно объяснение в любви. Эти дешевые пластиковые альбомчики у меня сохранились. Только фотки в них немного выцвели. И на месте каких-то фотографий зияют пустоты. Почему? Кто их оттуда вынул? Зачем?

Поначалу на этом "Кинотавре" всё у нас шло неплохо. Мы, правда, много молчали, что было непривычно. Но молчание не было тягостным. Нам с тобой было о чем молчать, даже тогда. Мы держались за руки, когда гуляли вдоль моря или ходили в город. Ужинали в ресторане на променаде — вдвоем. Леша звонил из Москвы в наш номер, умолял писать ему на пейджер, не исчезать. Чувствовал угрозу.

У Леши был легальный повод мне звонить: в тот момент "Коммерсант" издавал газету "Не дай Бог!" — предвыборную агитку, рассчитанную на провинцию и призванную завалить коммунистов и протолкнуть Ельцина. Тарханов в этом довольно позорном проекте отвечал за все культурные интервью. Нужно было найти для каждого номера несколько любимых народом деятелей культуры, готовых проклинать советскую власть. За каждое такое антикоммунистическое интервью платили много — долларов триста. Три интервью означали костюм или пальто от Тани Котеговой. Поэтому я за них и взялась. Ну и к тому же Леша просил. В данном случае он не только хотел дать мне заработать, ему и в самом деле нужна была помощь — народные артисты ругали коммунистов неохотно.

Ты, с твоей врожденной брезгливостью и ненавистью к политическим манипуляциям, сразу отказался от участия в "Не дай Бог!". И меня отговаривал. Жадность во мне победила, но делала я эти интервью с противным осадком в душе. Одно такое интервью я помню прекрасно. Я пришла к совсем старенькому Евгению Лебедеву в его квартиру в "Дворянском гнезде" на Петроградской. Ему хотелось говорить не о коммунистах, а о Достоевском — он только что сыграл Фому Опискина в БДТ. Но я упрямо клонила в свою сторону. Через день после нашей встречи Лебедев умер. Я понимала, что я тут ни при чем, но чувствовала себя отвратительно, как будто это я и убила. И даже не позволила ему перед смертью порассуждать о том, что его действительно волновало.

На "Кинотавре" собралось немало народных, и Леша попросил меня и Андрея Плахова поднажать — материалов не хватало. Мы с Андреем, сгорая со стыда, взяли интервью у Георгия Жженова. Он прошел лагеря и проклинал коммунистов легко и вдохновенно. Хотя тоже хотел говорить совсем о другом. Жженова ты любил, считал, что в Америке с его мужественным мятым лицом и аскетичной харизмой он стал бы соперником Хамфри Богарта и Джозефа Коттена.

Начиная разговор с Зинаидой Кириенко, мы с Плаховым с ужасом поняли, что не можем вспомнить ее фильмов. Андрей на удивление ловко вывернулся, продемонстрировав старую журналистскую школу:

— Все мы помним ваши лучшие роли. А для вас какие из них самые значительные?

И дальше уже было легче.

Ты морщился, когда слушал эти истории:

— Господи, Иванчик, тебе самому-то не противно?

— Деньги не пахнут, — отвечала я.

— Кто тебе это сказал? Пахнут, и еще как. Просто воняют.

В один из последних кинотавровских вечеров ты исчез. Появился в номере поздно ночью — и я сразу узнала этот чужой, без блеска, холодный взгляд. Снова начался фильм ужасов категории "Б". Ночь живых мертвецов. Вторжение похитителей тел. Что там еще? Ночь после смерти отца должна была научить меня быть осторожной, не провоцировать тебя, уходить в тень, прятаться, спасаться. Но разве я могла удержаться? Полезла на рожон. Где ты был? Как ты мог? Ты меня предал. И так далее.

Ты ударил меня с холодной яростью — так, что я упала на пол. Когда я попыталась подняться, ударил снова, на сей раз своим рыжим ботинком с тяжелой подошвой (эти рыжие ботинки мы купили тебе в Америке). Я успела отвернуть лицо, ты разбил бровь и висок, в глаз не попал. Я ничего уже не соображала — ты никогда не поднимал на меня руку. (Ты сейчас спросил бы: "А ногу?" — и мы бы рассмеялись.) Я боялась взглянуть на тебя — это был не ты. Когда я все-таки открыла глаза, ты ударил меня снова, потом стал расстегивать ширинку. "Ты у меня сейчас возьмешь в рот. Поняла, бл...?" — прохрипел ты. Каким-то образом мне удалось вскочить, сбить тебя с ног, выбежать в коридор, спуститься вниз. Все-таки я была выше, тяжелее тебя, к тому же ты был пьян. Внизу, на веселой шумной дискотеке, я нашла Любку. Даже в темноте она увидела мое разбитое лицо, но до конца, кажется, мне так и не поверила. "Этого не может быть потому, что не может быть никогда". Ну, выпил, слегка толкнул, случайно упала, ударилась. Бывает.

Ночь я провела у Любки, в слезах и разговорах. Наутро я боялась выходить из номера и просидела там полдня. Мне доносили, что ты мечешься по территории "Жемчужины", разыскиваешь меня повсюду. В конце концов ты ворвался в Любкин номер и бросился ко мне:

— Иванчик, где же ты был?

Я до сих пор не знаю, действительно ли ты не помнил, что произошло той ночью, или искусно притворялся. Ты видел мои синяки и разбитое лицо. Но не мог поверить, что это сделал ты:

— Ну что ты такое выдумываешь?

Потом сдался:

— Ну может быть, дал тебе пощечину, допился до чертиков.

Ты помнил и не помнил — так же, как ты знал и не знал о моей измене.

В ту ночь я окончательно поняла, что надо бежать. Спасать свою шкуру.

Надо бежать, потому что — не дай бог!

Почему? Почему я не ушла от тебя сразу после "Кино-тавра"? Чего ждала? На что надеялась?

Ответ на самом деле прост. Я всё еще тебя любила. Боль, которую я испытывала каждый раз, когда ты проваливался в беспредел, была лучшим доказательством моей любви. Боль могут причинить только те, кого мы любим, это я знаю. И если рана (любовь) не болит, то она уже зажила (прошла). Моя любовь не прошла. Твоя любовь не прошла. Мы причиняли друг другу невыносимую боль.

И оба метались в поисках анестезии — каждый своей.

Мы вернулись с "Кинотавра", всё двигалось к развязке. Как ты сказал бы — бодрым галопом старой цирковой лошади. Я ушла из "Сеанса" — не хватало сил на то, чтобы соединять институт, журнал, заказные статьи. Львиную долю моих душевных сил съедало чувство к Леше — точно так же, как сейчас их съедает чувство к Сереже. Любовь наполняет невероятной энергией — и она же отнимает ее. До сих пор не могу понять этот удивительный процесс. Зато хорошо понимаю теперь, что любовь — это хаос, а вовсе не гармония. И боль она приносит чаще, чем радость.

Как ты и предсказывал, Люба восприняла мой уход из "Сеанса" как предательство. Следуя твоему совету, я пыталась сделать это осторожно ("как ногу из болота"), прикрываясь связью с Лешей:

— Ты же сама понимаешь, как это бывает, Любчик, эти отношения меня выпотрошили.

Но, когда дело касалось "Сеанса", Люба отказывалась понимать. Куда исчезала ее человечность, готовность обнять и принять?

— Ты бросила меня спиной на ржавые гвозди, — сказала она. Тебя восхитила эта красочная формулировка, мы потом не раз ее повторяли.

Летом я ушла из института — это было серьезное решение. Я взяла академический отпуск на год, чтобы оставить лазейку для возвращения, но в целом было понятно, что с академической карьерой покончено. Отпускать меня не хотели, но я вооружилась фальшивой гинекологической справкой. Ректор, стопроцентный мужчина, испугавшись страшных слов "матка" и "миома", брезгливо повертел бумажку в пальцах и быстро меня отпустил.

В августе я наконец всё тебе рассказала. Я лежала на диване, ты стоял надо мной, курил, мы вяло ссорились. И вдруг я произнесла:

— Леша Тарханов любит меня и хочет на мне жениться.

Ты выслушал спокойно. Спросил, когда это началось. Спросил, что я чувствую. Что собираюсь делать. Своих ответов я не помню.

Ты опустился передо мной на корточки, обнял меня за плечи, развернул к себе и спросил растерянно и ласково:

— А как же я, Иванчик? Как же мы с тобой?

("А как же я, Малыш? Я ведь лучше собаки".)

Я заплакала:

— Не спрашивай меня, я не знаю.

— Но ведь между нами есть что-то такое, что нельзя разрушать. Мы же два Иванчика. Иванчик и Иванчик. Как же так?

Может быть, это был единственный раз в жизни, когда ты, со своим страхом любых драматических объяснений, пытался поговорить "про любовь, про отношения", не прикрываясь иронией. Я не смогла.

Почему я не ушла после своего признания? Ведь уже все всё знали — Леша объявил о любви ко мне своей жене Ире. Как уверяла Любка, Ира испугалась больше за тебя, чем за себя. Я не поверила: с чего бы это?

Да всё с того же. Мы срослись как сиамские близнецы, резать надо было по-живому. Мы всё еще были очень близки. И даже в эти дни, после того как прекратился обман, мы иногда ходили по улицам, держась за руки. Опять болтали на кухне. Принимали гостей. Но, конечно, это продлилось недолго. Снова явился Хайд. На сей раз — не опасный, не "ножевой" и даже не ночной. Он явился днем, при свете солнца. И ты даже не был пьян. Если бы тогда уже был снят "Ночной дозор", я бы назвала твоего тогдашнего внутреннего вампира — светлым. Ты, кстати, был первым, кто своим "Упырем" и отчасти "Никотином" предсказал будущий бешеный интерес к вампирской теме, увидев в ней огромный эротический потенциал. А по большому счету — и метафору девяностых годов.

Ты сказал, что готов смириться с присутствием в нашей жизни "Лешечки" (именно так ты его называл). Если я хочу с ним спать — так и быть. Но при условии, что я буду посвящать тебя во все подробности нашего с ним секса.

— В особо циничной форме, сама понимаешь.

Было неясно, шутишь ты или говоришь всерьез. Сейчас я понимаю, что ты таким образом пытался отторгнуть происходящее. Доказать, что там у меня — "просто секс". Если это может быть легко рассказано и описано — значит, существующее между нами доверие сильнее того, что происходит со мной на стороне. Но тогда я увидела в твоей просьбе только желание новых острых сексуальных ощущений. На душе было паршиво, но я не смогла сказать тебе "нет", хотя догадывалась, что из этой унизительной затеи ничего не выйдет. Купила в каком-то секс-шопе новое блядское белье — шелковый комбинезон, новые кружевные подвязки, новую пару сетчатых чулок. Увидев эту гору тряпок, ты приободрился, решив, что я согласилась играть по твоим правилам. Я помню, как надела это белье, помню этот секс — днем, в твоей прокуренной комнате, на твоей узкой кровати. Помню, что я была сверху и что ты сказал:

— Ну, рассказывай мне теперь, как вы с ним это делаете.

Я замерла, остановилась. Сказала:

— Я не могу.

— Но ты же обещала. Мы же заключили конвенцию, Иванчик.

— Говорю тебе, я не могу! Отпусти меня.

Я вскочила, ушла в ванную, сорвала с себя кружевные тряпки, смывала слезы и размазанную тушь.

Ты пошел за мной, остановился в дверях. А потом сказал фразу, которая меня уничтожила и одновременно рассмешила. В этом был весь ты. Убийственную точность ты прикрывал спасительной иронией.

— Как ты могла? Ты опустилась до чувств.

83

Иван, я почти не помню своего бегства из Питера,
к тому же запуталась в датах. В конце сентября я еще
жила с тобой, хотя одной ногой уже была в Москве.
Той осенью мы несколько раз ездили за город
с Гершензоном. Однажды гуляли в Александровском
парке, еще не расчищенном и не отреставрированном,
совсем пустом, щемяще прекрасном. Пахло жухлой
листвой и грибами. Я повторяла сама себе и ему, что,
наверное, все-таки надо уезжать в Москву. Пашка
ворошил ногами желтые листья, показывал на дворец
и парк и зловеще твердил:

— Ты бросаешь не только Серегу, не только меня.
Ты бросаешь всё это!

Только потом я осознала, как он был прав —
в моей московской жизни не нашлось красоты, которая
в Питере была ежедневной привычной декорацией.
Только теперь она вернулась ко мне — в Париже.
Каждое утро, выходя из дома, я захлебываюсь от того,
как красив этот город. В Москве со мной такого не
случалось никогда.

Как все патриоты Питера, ты не любил Москву.
Но ты не мог повторять банальности о противо-
стоянии двух столиц. Твоя нелюбовь к Москве была

не идеологической, а почти физиологической. Еще в 1989 году ты писал Брашинскому в Штаты: "Москва у меня всегда ассоциируется с плохим. А с недавних пор — и с зубной болью". Ну да, а в последний год — еще и с потерей девчонки, сбежавшей к удаву в сиропе.

Ты не столько не любил Москву, сколько любил Питер. Бывал пристрастен, когда дело касалось питерского кино или питерских авторов. Город ты знал отлично, жаль, что мы почему-то редко с тобой гуляли. Как все питерцы, ты тщательно выбирал маршрут. В Москве всегда выбирают самую короткую дорогу, в Питере — самую красивую.

Больше всего ты любил улицу Зодчего Росси, считал ее архитектурным совершенством, торжеством идеальных пропорций. И каждый раз, когда мы шли по ней, ты вспоминал, что высота ее зданий равна их ширине — 22 метра, а ее длина — те же 22 метра, умноженные на 10. В этих числах тебе виделось что-то близкое к божественному абсолюту. Когда я вспоминаю тебя в Питере, чаще всего я вижу тебя на этой улице. Или на Фонтанке — переходящим дорогу. А еще на Суворовском проспекте, уходящим от меня — именно там я видела тебя в последний раз, летом 1997 года, за месяц до твоей смерти. Я тогда смотрела на твою фигурку в короткой джинсовой курточке и вспомнила как ты сказал про Вивьен Ли в "Мосте Ватерлоо":

— Видишь, как она играет спиной?

Твоя спина транслировала боль.

Москва казалась тебе суетливой, жирной, буржуазной. И — скучной, ничуть не романтичной. Если, конечно, речь не шла о Москве из фильмов Данелии или Хуциева, о той, по которой шагали молодой Никита Михалков или Марианна Вертинская.

Шестидесятые умели любой самый прозаичный город сделать романтичным.

В своем эссе про петербуржцев Москвина написала: "МОВЕТОН: фраза «Мне надо в Москву».

БОНТОН: следует говорить: «Придется ехать в Москву».

Петербуржцу никуда не надо, особенно в Москву. Он может быть вынужден, должен, обязан, так получилось, пришлось отправиться в Москву. Туда едут только за одной субстанцией — за деньгами".

Следуя негласному петербургскому кодексу, я отправилась в Москву, конечно же, за деньгами.

84.

18 ноября 2013

Иванчик, вчера опять так скучала по тебе!

Мы с Сережей поехали на машине в Шампань (у меня здесь есть машина, но водит ее он, я пока не решаюсь). В дороге слушали музыку — через мой телефон. Сережа может настроить всё что угодно и где угодно — повелитель гаджетов, уверенный, что у любой технологической задачи есть решение (если бы он мог с такой же уверенностью жить). Рядом со мной никогда не было мужчины, разбирающегося в технике, поэтому его способности кажутся мне едва ли не магическими, и я всякий раз прихожу в восторг, видя, как ловко он заставляет всё вокруг крутиться, загораться и оживать. Сережа уверяет, что каждый бы мог быть таким гением, если б имел терпение дочитывать инструкции до конца. Думаю, он прав. Один вид инструкции вызывает у меня тоску, я даже деловые письма часто не могу дочитать до середины. Ты ведь тоже не выносил инструкций. Тем более что половина из них — толщиной с довлатовский "Чемодан".

Так вот, мы с Сережей сидим в машине и слушаем *Beatles* через *bluetooth* в моем айфоне (всё это для тебя какая-то абракадабра).

She thinks of him and so she dresses in black,
And though he'll never come back,
She is dressed in black.

Сережа отбирает у меня свою руку, которую я по привычке сжимаю.

— Что с тобой такое? — спрашиваю я.

— Ты посмотри на себя. У тебя в глазах слезы. Даже когда ты со мной — ты с ним.

Я не замечаю этих слез, я с ними свыклась. Я снова беру его руку, нежно целую.

— Я с тобой. Только с тобой, правда.

Мы оба знаем, что это неправда. Я — жертва твоего облучения. Как я могу жить и любить — после тебя? Мы с тобой ходили на "Хиросима, любовь моя". Я ее совсем недавно пересмотрела — и на сей раз поняла куда лучше, чем двадцать лет назад. Она ведь про то, как прошлое выжигает душу и не дает любить.

Я так хочу научиться снова любить — своей выжженной душой. Любить — без сравнения с тобой, без оглядки на прошлое. Мне так хочется верить, что вдруг мой новый Сережа заменит мне тебя. Полная твоя противоположность. Высокий, некурящий, непьющий, не травивший себя антибиотиком. Молодой, красивый, здоровый. Любящий меня.

Но не ты. Не ты.

85.

19 ноября 2013

Я прекрасно помню этот день. Мой тридцатый день рождения, 25 сентября 1996 года. Я возвращалась от Леши из Москвы — к тебе в Питер. Что-то случилось на путях, и поезд опоздал на восемь часов. Ты встречал меня на вокзале — собранный, красивый, трезвый, с горящими глазами. Обнял и поцеловал. По-хозяйски взял за руку. На Разъезжей, недалеко от дома, мы встретили твою коллегу из "Коммерсанта", поговорили с ней. Ты сказал:

— Хорошо, что она видела нас вместе, а то все болтают, что мы уже разошлись.

Меня это удивило: я не задумывалась о том, насколько для тебя важно мнение окружающих. А оно было важно — из-за твоей болезненной гордости. Однажды в "Сеансе" я сказала, что мы с тобой стали спать в разных комнатах — уже не помню к чему. А когда ты отошел в сторону, чуткая Элла Липпа прошептала мне:

— Зачем вы это говорите? Разве вы не чувствуете, что ему больно?

А я не чувствовала. Мне тогда стало безумно стыдно. Почему я так хотела показать свою отдельность, очертить свое пространство, поставить тебя на место?

Но дальше так продолжаться не могло. Я отказалась превратить свою связь в жестокую эротическую игру, я опустилась до чувств. Ты пытался примириться с этим, но ничего не получалось. Однажды я на день раньше обещанного приехала с дачи домой и застала в квартире настоящий разгром. Раковина, полная грязной посуды, разобранная кровать, недопитые бутылки, чашки с засохшим кофе, окурки со следами помады, золотой волос в тарелке. Очевидно было, что здесь была девушка, но даже не это меня покоробило. На кухне всё было засыпано сахарным песком — наверное, опрокинулась сахарница. Всё вокруг было липким. Песок был повсюду — на полу, на столе, на подоконнике.

Я села у кухонного стола, за которым мы с тобой провели в разговорах столько ночей, — и заплакала. Оплакивала нашу слипшуюся, замусоренную жизнь. И пошла собирать вещи. Уехала сначала к маме, на улицу Замшина. И тебе, и Леше я сказала, что мне нужно побыть одной. А недели через две отправилась в Москву. С небольшой сумкой, без денег, без перспектив работы.

И со стойким ощущением не начала, а конца.

86.

23 ноября 2013

Привет, Иванчик! Первые несколько дней в Москве я провела в одиночестве. Леше надо было уехать в давно запланированный круиз по Волге с двенадцатилетним сыном Юликом. Я сказала:

— Конечно, поезжай, я тебя дождусь. Обещаю.

И осталась одна в его (в нашей?) стерильной новенькой квартире. Ты сказал бы о ней: "Муха не еб...сь!"

Вскоре ты начал туда звонить. Я не подходила к телефону. Ты говорил с автоответчиком. Требовал, просил:

— Иван, сними трубку, нам надо поговорить!

Я сидела за столом, обхватив голову руками. Наверное, на десятый раз ты вдруг сделал паузу и сказал очень тихо, очень медленно и очень спокойно:

— Иванчик, я ведь знаю, что ты там, рядом. Пожалуйста, возьми трубку. Мне очень нужно тебе что-то сказать, это важно.

В тот момент я готова была взять трубку. Я уже руку на нее положила. Что было бы, если б я ее подняла? Что ты хотел сказать, Иванчик? Сумел бы ты сказать мне что-то и вправду важное? Такое, что заставило бы меня вернуться? А если бы я вернулась? Надолго ли?

Изменило бы это что-нибудь? Был бы ты жив? Как долго бы ты еще продержался?

Я выдернула телефонный кабель из розетки.

Леша появился на пороге, измученный, бледный, обхватил меня в дверях и сказал:

— Я был почти уверен, что потерял тебя. Я так себя ругал за то, что уехал. Прости меня, я больше никогда тебя не оставлю.

А ты так и не появился на пороге, хотя мне казалось, что вот, вот сейчас ты войдешь, и всё встанет на свои места. Но ты не появился и ни разу больше не позвонил — ты был слишком гордым.

Одну весточку от тебя я все-таки получила. Я попросила передать мне из Питера мою греческую лисью шубку, сшитую из пестрых кусочков. Не помню, кто привез от тебя пакет. Шубы в пакете не было. Было черное котеговское пальто до пят и заклеенный конверт с надписью "Карине". Сердясь на то, что ты не передал шубу, я вскрыла конверт. Достала лист бумаги. На нем была нарисована слеза. Ни слова, ни привета, ни обращения, ни подписи. Одна слезинка. Я тупо смотрела на бумагу, на твою последнюю попытку меня вернуть. Но твоя слеза меня не тронула — ответной слезы я не пролила. Вскоре Леша увез меня в декабрьский Париж, потом в новогодний Рим — отвлекать и развлекать. Но я-то знала, что мне надо работать — не могла представить себя в зависимом положении. Твердо решила, что в "Коммерсант" не пойду, и даже писать туда перестала — ситуация и без того была двусмысленной. В январе я начала работать в киножурнале *Première*, который выпускал на русский рынок издательский дом *Hachette Filipacchi*. Через неделю после выхода на работу я узнала, что беременна.

Зимой я говорила с тобой по телефону — мне нужны были какие-то документы. Я позвонила на улицу Правды, трубку сняла девушка, нежным голосом позвала тебя к телефону. Ты говорил сухо, жестко. Да, всё найду. Да, всё передам. А потом вдруг сказал тихо и очень интимно:

— Иванчик, если ты хочешь вернуться, ты возвращайся, ладно? Ничего себе не выдумывай, я тебя жду. Ты ведь ко мне вернешься, правда?

— Иван, я беременна.

На это ты ничего не смог сказать. Здесь ты был бессилен. Думаю, в тот момент ты впервые осознал, что я ушла насовсем. Ребенок означал конец прошлого.

Мое будущее, мою новую жизнь.

87.

Ты, наверное, так и не узнал, какой мучительной была
моя беременность. Жуткий токсикоз длился не три
месяца, как это обычно бывает, а семь — как будто всё
во мне сопротивлялось этой новой жизни. Как будто
со мной происходило что-то противоестественное. Как
будто я была героиней "Ребенка Розмари". Меня
рвало — апельсиновым соком, который Леша каждое
утро заботливо для меня выжимал. Рвало утром, рвало
днем, рвало вечером.

Учитывая тревожный анамнез, врач прописал мне
гормоны, которые я исправно пила. Постоянная тош-
нота как-то заслонила боль от разрыва с тобой, помут-
тила рассудок. Я ушла от тебя, разорвав нашу связь
по-живому. Рваная рана болела и кровоточила. Но
отравление организма помогло мне с этим справиться,
токсикоз вогнал в полулетаргическое состояние.
Я была слишком измучена, чтобы разбираться, отчего
же мне так тошно.

Я что-то слышала про тебя — от Любки, от Плаховых, от Гершензона, от Москвиной. Я знала, что
у тебя есть девушка, Инна, твоя студентка, совсем юная,
похожая на кранаховского ангела. Та самая, которая
брала телефонную трубку. И чью помаду я видела

на своей чайной кружке. Москвина недавно вспомнила, как ты говорил:

— У меня была Катерина, потом Карина, потом Инна. Иду на уменьшение.

Как ни странно, присутствие в твоей жизни девушки я восприняла с облегчением, это снимало с меня часть вины. Я радовалась, что с ее помощью тебе легче сохранять гордость и достоинство. Тебя любят, о тебе заботятся, тобой восхищаются. И к тому же наверняка кто-то гуляет с Боней и наливает молоко Груше.

За этот год мы с тобой говорили раза два-три, не больше. Поздней весной или ранним летом я позвонила и попросила развода. Ты еще раз спросил:

— Ты окончательно решила? Всё кончено?

Меня поразил твой вопрос: я ведь должна была скоро родить — и ты это знал. Неужели ты думал, что я всё еще могу вернуться? Что ты будешь растить чужого ребенка? Брашинский говорил мне, что примерно в это время ты сказал ему:

— Моя девчонка ко мне больше не вернется.

Почти те же слова недавно повторила Рената Литвинова, которая в конце девяностых была замужем за Александром Антиповым, продюсером твоего "Упыря". За несколько дней до смерти ты якобы спросил:

— А кто мне вернет мою Карину?

Пересказывая это, Рената глубоко вздохнула: "Вы женщина роковая, Карина". В ее исполнении это прозвучало почти смешно. Недаром ты сразу сказал, впервые увидев ее в "Увлеченьях" Муратовой, что никакая она не дива, а блестящая комическая актриса.

Вскоре я приехала в Питер, мы встретились на Суворовском — надо было подать заявление на развод.

Леша приехал со мной, но в здание суда заходить не стал, ждал в кафе на углу. Ты шел мне навстречу — своей пружинистой мальчишеской походкой, как тогда через дорогу на Фонтанке, когда я впервые тебя увидела. Издалека ты казался совсем подростком. А когда приблизился, я увидела, как ты изменился: серо-коричневое лицо, красные воспаленные глаза, сухие губы с каким-то злым изломом, почти бритая голова. Ты скользнул взглядом по моему животу, обтянутому черным широким котеговским платьем. Принужденно усмехнулся:

— Господи, ну ты даешь!

Сидя в очереди, мы пытались о чем-то говорить, но ничего не получалось — уж очень было нервно, внутри меня всю трясло. Когда дело было сделано — заявление подано, — ты спросил:

— Хочешь, пойдем выпьем кофе? Посидим где-нибудь?

— Не могу, — ответила я. — Меня Леша ждет.

— А, ну да, конечно. Тогда пока.

Ты развернулся и пошел прочь. Люба рассказала, что в этот день ты сорвался по-крупному, отчаянно — мистер Хайд бился головой об стену. Я знаю, что так оно и было.

Второй раз я приехала в Питер через месяц — получить официальную бумажку о разводе — в тот же ЗАГС на Суворовском. Эта встреча прошла легче, без дрожи и напряжения. Живот у меня был уже огромный, и его размеры как бы отдаляли меня от тебя. В этот раз мы оба были спокойнее. Получилось даже что-то обсудить. Как жизнь? Как работа? Как твоя девушка? Как Лешечка? Нормально? Ну ладно, держись. Пока! Простились мы почти дружески.

— Звони мне, ладно? — сказала я.

— Посмотрим.

Дежавю — ты резко развернулся и пошел прочь по Суворовскому проспекту. Я оглянулась тебе вслед. Но ты — не оглянулся. Я запомнила, что на тебе были те же рыжие ботинки, которые мы несколько лет назад купили на распродаже в американском Боулинг Грине и которыми ты бил меня на "Кинотавре". Но тогда я подумала не об этом, а о том, как же аккуратно ты носишь обувь: я бы их давно ухайдокала.

Больше я тебя никогда не видела.

88.

Мне всё труднее тебе писать — но всё равно надо писать. В конце июля мы с Лешей поженились — где-то в районном ЗАГСе, без цветов и без свидетелей. Поскольку московской прописки у меня не было, в ЗАГСе надо было предъявить билеты на поезд — туда и обратно. Мы купили самые дешевые — в общий вагон. Кассирша с укоризной посмотрела сначала на мой огромный живот, потом на Лешу:

— Может, хотя бы не в общий вагон?! Девушка же беременная.

— Перетопчется, — ответил Леша, и мы оба рассмеялись. Потом погуляли по центру, держась за руки, съели невкусную паэлью в ресторане на Большой Дмитровке и поехали на метро в Сокольники.

В конце августа мы говорили с тобой по телефону. Мне опять нужны были какие-то бумаги, книги. Разговор получился спокойный. Ты спросил, когда мне рожать. Услышав, что недели через две, пожелал удачи. Не помню уже, сказала ли я, что у меня будет мальчик. Иван.

На следующий день тебя не стало.

89.

2 декабря 2013

Я поняла, что Сережу я потеряю. Я это знала с самого начала, но сегодня ощутила особенно остро. Так много лет я жила в каком-то коконе, в который завернулась, защищаясь от боли.

Этот кокон я плела очень тщательно — вот слой работы, вот слой семьи, вот слой недвижимости. А Сережа появился и стал осторожно снимать слой за слоем. И я теперь как будто голая. Больно, страшно, стыдно. Но зато я чувствую себя уязвимой, а значит — живой. Достоевский говорил, что человеку для счастья нужно столько же несчастья. Кажется, я впервые понимаю, что это значит.

Мы были сегодня с Сережей в ресторане *Il Vino*, где нужно выбрать вино, а шеф под него сам выберет еду. Мы сидели на высоких стульях у окна, выходящего на вечерний бульвар Тур Мобур. Он рассказывал про свое детство, про свое любимое африканское жаркое солнце (смешно: он верит, что именно солнце дает энергию!). Я рассказывала про тебя, я всегда рассказываю ему про тебя. Мы держались за руки под столом, и я чувствовала его нежность, почти детскую. И понимала, что должна его отпустить, совсем отпустить. Что его жизнь не имеет, не может, не должна иметь ничего общего с моей — покалеченной, корявой, запутавшейся в призраках прошлого. А потом у меня вдруг хлынули слезы. Так, как будто внутри разморозился огромный кусок льда. Как будто это были слезы, скопившиеся за все те годы, когда наркотиком была работа, а долг заменил любовь. Слезы капали в тарелку, на стол, на джинсы, на большую Сережину ладонь.

Ты сейчас сказал бы:

— Иванчик, да ты просто намешал разного вина в этом винном ресторане, напился и расчувствовался.

Наверное, и это тоже. Теперь-то можно признаться в том, что главное и лучшее в моей жизни случалось, когда я была пьяной.

Сережа испугался. Торопливо расплатился наличными, понимая, что нам надо быстро уходить — на нас оглядывались посетители и официанты. Мы выскочили на бульвар, он обнял меня. Мы стояли молча несколько минут, прижавшись друг к другу.

— Прости меня, — сказала я. — Просто это из меня течет... жизнь.

— Я всё понимаю. Я с тобой, ничего не бойся.

— Мне надо побыть одной. Прости меня.

Я высвободилась из его объятий и быстро пошла по бульвару, ни разу не обернувшись. Слезы по-прежнему то текли, то брызгали маленькими фонтанчиками, как у клоуна. Ноги сами несли меня в сторону Лионского вокзала — сегодня должен был приехать мой сын Иван из своей лозаннской школы. Встречать его я вовсе не собиралась, но сейчас мне необходимо было его увидеть. Может быть, просто потому, что ему всегда доставалось так мало моего тепла. Моего Сережу я отпущу. Моего Ивана — никогда.

Увидев меня на вокзале, Иван удивился. Сказал:

— Мамик, ты хорошо выглядишь. Молодая, худая и смешная.

А как же Сережа? Как мне быть? Что мне с ним делать? Отпустить? Вернуть? Ну помоги ты мне, Иванчик! Впрочем, на все мои вопросы ты ответил задолго до того, как я высвободилась из Сережиных объятий на парижском бульваре. И задолго до нашего с тобой разрыва:

"В конце концов, не всё ли равно, куда исчезает любовь, коль скоро ее главная задача — исчезнуть".

90.

Иванчик, Ванечка, Ванюшка, Вано, Иванидзе... Мой большой Иван... Ты умер 27 августа, в День советского кино. А родился 22 января, в один день с Гриффитом и Эйзенштейном. "Идеалистами были они оба, рожденные под знаком Водолея — знаком Урана и воздуха, во все века благоволившего революционерам, творцам утопий, беспредельщикам и лжепророкам".

Когда-то ты написал: "Фильм куда интереснее жизни. Хотя бы потому, что фильм, в отличие от жизни, можно взять напрокат. И прокрутить с любого места в любом направлении". Твою жизнь нельзя прокрутить назад. Нельзя взять напрокат. Нельзя начать сначала. Она просто кончилась. И то, что я сейчас делаю, — это жалкая попытка обратной перемотки.

В последний год нашей совместной жизни ты увлеченно обсуждал идею сценария, где киновед-архивист, просматривая исторические хроники разных эпох, видит везде одного и того же человека, который оборачивается и смотрит на него с экрана. Вот он в Москве в начале двадцатых, вот в нэпманские годы, вот на демонстрации в тридцать седьмом, вот в окопах, а вот на похоронах Сталина. Он не меняется, не стареет, только подает с пленки тайный знак тому, кто зачарован идеей кино как смерти за работой. Я понимаю, почему тебя завораживал этот замысел. Кино между смертью и бессмертием, магия кинопленки. Один из твоих любимых фильмов — "Персона" Бергмана, где пленка рвется и плавится, не выдерживая накала боли, наждачного трения двух человеческих душ друг о друга. "Чем ближе люди приближаются друг к другу, тем больше ужас, кровоточащий в их душах".

Книгу твоих статей Люба Аркус назвала "Кино на ощупь" — это очень точное название. Тебя всегда занимало, как кино может прорваться в реальность, прорвать (порвать) реальность. На своей первой лекции для нас, студентов пятого курса, ты говорил о сцене из фильма Вендерса "Париж, Техас", где герой видит в каком-то странном борделе за стеклом свою жену — и одновременно видит свое отражение в этом стекле. Их лица и головы соединены в одно целое отражением — но разъединены стеклом. Тогда, много лет назад, я с трудом понимала, о чем ты говоришь, описывая эту игру отражений, — всё это казалось мне уж очень запутанным. А ты говорил о тотальной невозможности счастливой любви и об иллюзорной природе кинематографа. "Зритель начинает глазами уже не столько смотреть и расшифровывать визуальный код, сколько его ощупывать. Он привыкает к тому, что его бьют, его щипают с экрана, ему дают лизнуть".

В статье на смерть Игоря Алейникова ты описал, как увидел на пленке контур его тела после того, как на ней уже ничего не было. Как будто кино могло удержать человека, сохранить его живым. И как будто речь шла не о дурацком некрореалистическом фильме, а едва ли не о туринской плащанице.

В интервью "Митиному журналу" ты сказал об одном из сокуровских кадров: "Мы видим, грубо говоря, входное отверстие смерти на самой пленке". Мне очень нравится физиологичность этого образа.

Сокуров не был близким тебе режиссером. Но его дар показывать смерть в кино тебя притягивал. "Основа настоящего творчества, а не имитации, — максимально полное проживание того, о чем ты говоришь. <...> Но коль скоро предметом твоего искусства является смерть, ты всякий раз обязан проживать смерть. А проживая смерть всякий раз, ты в конце концов перестаешь говорить на языке искусства, потому что, когда ты доходишь до определенного порога, наступает момент, когда уже не надо снимать кино".

Ты дошел до этого порога? Почувствовал, что хочешь сказать то, что на пленке не уместится?

Нашел входное отверстие смерти.

91.

4 декабря 2013

Сережа! Не знаю, почему у меня вырвалось наконец твое имя, я ведь тебя, живого, никогда так не называла. Ты был моим Иванчиком. Но вот как-то само написалось... Сережа... Ты ведь мой Сережа.

Ты умер, но я о твоей смерти не узнала. Мне не дали тебя похоронить, попрощаться с тобой, попросить у тебя прощения, — и это навсегда изменило мою жизнь.

Я смутно помню, что в тот день Леша примчался с работы непривычно рано. Он казался встревоженным, быстро подходил к телефону, с кем-то говорил, закрывшись на кухне. ("Не обращай внимания, это по работе".) Потом сказал, что проведет несколько дней дома, чтобы поддержать меня перед родами и не пропустить начало схваток. Я сказала, что я в порядке и прекрасно справлюсь сама, но он настаивал. Больше Леша от меня не отходил, окружив кольцом заботы, сквозь которое не мог прорваться никто. Мне вдруг все разом перестали звонить, хотя до этого момента телефон не замолкал: все хотели знать, ну когда же, когда.

Однажды я говорила с Любой (я сама ей позвонила), она звучала глухо и казалась совсем чужой.

— Эй, маманя, ты что? — бодро спрашивала я.

Она отвечала:

— Я ничего, я в порядке. Удачи, пока.

Моя мама тоже звучала так, как будто вот-вот готова заплакать, но я всё списала на эмоции по поводу моих предстоящих родов. Да, происходило что-то странное, но и роды — штука странная, разве нет?

Чувствовала ли я что-нибудь? Честно? Не знаю.

А потом мы с тобой встретились. В момент рождения Ивана. Я знаю, это звучит глупо. Я, как и ты, ненавидела доморощенную мистику и все эти истории про длинные коридоры, в конце которых виден свет. Однажды ты написал: "К мистике всегда склоняется тот, кто лишен настоящей веры". Так оно и есть. Но в ту ночь я тебя видела.

В сущности, сказалось действие наркотиков. Роды пошли тяжело, и мой грустный доктор принял решение делать кесарево сечение. Мне вводили в вену наркоз. Я сердилась, что мне по-прежнему больно. Возмущенно сказала:

— Ничего ваше лекарство не действу-у-е-е-ет. — И провалилась в сон.

Я увидела тот самый коридор, многократно описанный в книгах про "жизнь после смерти". Мне даже неловко об этом писать. Но это не был коридор, залитый светом. Он был страшный, грязный, в пятнах крови — точь-в-точь смертный коридор Лубянки из ленфильмовских перестроечных картин. Входное отверстие смерти. Находиться там было больно, а меня затягивало всё глубже и глубже, как в центрифугу. В конце коридора стоял ты. Я запомнила, что ты был одет в белую рубашку и голубые джинсы — юный, чистый, удивительно красивый. Я бросилась к тебе, мы обнялись. Я повторяла:

— Мне больно, мне холодно, а ты что тут делаешь?

Ты молчал, сжимал мою руку. Потом сказал, что тебе надо идти дальше, а мне — возвращаться назад. Помню, что идти за тобой я не хотела, думала только о том, как поскорее выбраться из этого грязного холодного места. Не знаю почему, не пыталась повести тебя за собой. Не помню, обернулся ли кто-то из нас, как тогда на Фонтанке. Я пошла, а потом побежала назад, на детский крик — на крик новорожденного Ивана. А ты пошел вперед, туда, где загорелся слепящий свет софитов.

"Может быть, констатируя конец, мы переходим в новую ситуацию, которой я просто не знаю".

Ночь с 4 на 5 декабря 2013

Тебя больше не было, мой большой Иван. Но о твоей смерти Леша сказал мне только в октябре, примерно через месяц после рождения моего маленького Ивана. Появление ребенка, которого я так ждала и который так трудно мне дался, не принесло ни радости, ни покоя. Я не чувствовала никакой связи с ним. Едва ли я догадывалась, что тебя нет, а значит — ничто не имеет смысла. Казалось, что это обычная послеродовая депрессия, смешанная со скукой, — я ведь никогда так долго не оставалась в праздности.

В тот день Леша пришел с работы немного раньше, может быть, часов в шесть. Ванька спал. Мы были на кухне. Леша что-то жарил на сковородке, повернувшись ко мне спиной. И так же, спиной, не глядя на меня, произнес:

— Мне нужно тебе сказать... Дело в том, что Сережка умер в августе.

Помню, что я оказалась на кухонном полу. Я не спрашивала — что, почему, как. Не говорила — не может быть. Я мгновенно поняла, что это правда и что я убита — убита навсегда.

Кажется, Леша все-таки сказал:

— Сердце.

Значит, я что-то спросила? Я поползла в ванную — спрятаться, закрыться, быть одной. Лежала там скрючившись. Леша пытался поднять меня, перевернуть. Тряс, что-то говорил. Метнулся в комнату, принес сонного Ивана, стал совать его мне в руки. Я только отпихивала и Лешу, и ребенка.

Не помню, сказал он мне про героин тогда или на следующий день. Или Любка сказала первая. Я набрала номер Елены Яковлевны, твоей мамы, — с ней я не общалась почти год — со дня моего отъезда из Питера. Говорить я не могла, только ревела. Она, услышав меня, всё поняла. И так мы с ней ревели, наверное, час, вставляя какие-то отрывочные реплики. Помню, что я спрашивала, как они могли скрыть это от меня, почему не позвали на похороны и как мне теперь с этим жить. Она стонала в ответ:

— Он тебя так любил, так ждал...

А потом Елена Яковлевна выдавила:

— Представляешь, Кариша, он столько часов просидел один, на детской скамеечке, мертвый...

Понимала ли я тогда, что твои родители не знают
настоящей причины твоей смерти? И что Люба решила сказать им — а значит, и всем вокруг, — что ты умер
от сердечного приступа? Тогда это решение показалось
мне неправильным, ведь это была ложь, а любящие
так или иначе чувствуют правду о любимых. Ложь
спровоцировала в них давящее чувство вины, ведь твое
сердце было их заботой — не заметили, не обследовали,
не уберегли своего маленького больного мальчика.
Героин — как бы чудовищно это ни звучало — был
твоим выбором. А сердце — за сердце в ответе твои
близкие, и родители прежде всего. Ну и, конечно,
я, которая это сердце разбила.

Люба приняла решение не говорить родителям
про героин — хотя твоя мама, конечно, знала
про твоего доктора Хайда и про демонов, разры-
вающих тебя изнутри. Впрочем, если бы они узнали
правду, стало бы им легче? Не думаю. Им тоже
нужна была вера.

За все семнадцать лет, которые прошли со дня
твоей смерти, я не заговаривала с ними о ее причине.
Недавно я поняла, что они всё знают. Думаю, что
в глубине души знали всегда.

Леша принял решение скрыть от меня твою смерть, потому что боялся, что я подвинусь рассудком, боялся за здоровье нашего сына (до его рождения оставалось несколько дней), боялся, что я рожу на твоих похоронах. Он принял такое решение на свой страх и риск, готовый к тому, что я ему этого не прощу. На его месте я, наверное, поступила бы так же. Думаю, что и ты поступил бы так же. Не знаю. Не знаю, может ли человек брать на себя такую ответственность и решать вопросы, касающиеся правды о смерти — и о жизни — других людей. Может быть, мне помог бы обряд похорон — обряд прощания и прощения. Похороны ведь нужны не мертвым, а живым.

В первые дни, когда всё во мне помутилось от боли и слез, я упрекала окружающих за то, что они мне ничего не сказали. Многие валили всё на Лешу — дескать, категорически запретил, блокировал доступ к телу. Но Лешу я не винила — ни тогда, ни теперь.

Это ведь был выбор Софи, не так ли? Хотя Леша говорит, что ничего не выбирал и ни в чем не сомневался. Просто знал: нельзя говорить — и всё. И был готов к тому, что я, возможно, уйду.

Но я не ушла.

К поступкам, требующим напряжения сил — душевных и физических, — я была не готова.

Сил больше не было. Ни на что.

94.

Иван, я знаю, что в чьей-то героиновой квартире рядом с тобой был Вилли. Ох, как же я его всегда ненавидела, как выдавливала из твоей жизни, как охраняла тебя от этого липкого разложения! Знаю, что ты любил и жалел его, но я как будто чувствовала, что именно он протянет тебе этот смертельный шприц. Ты попросил вторую дозу. Тебя отговаривали, но ты сказал, что знаешь, что делаешь. Якобы ты произнес мое имя — это потом повторяли те, кто считал твою смерть самоубийством. Не знаю. А может быть, ты просил эту дозу, не думая о том, что она будет смертельной. Ты просто хотел пойти немного дальше, заглянуть во входное отверстие, посмотреть, что же все-таки там. То, что там, тебе было уже интереснее того, что здесь. От всего, что здесь, ты просто смертельно устал.

"Как иначе мог поступить герой, чьим куртуазным кодексом было отчаяние, а настоящей возлюбленной — смерть".

Поняв, что вторая доза оказалась смертельной, твои "друзья" решили в скорую не звонить ("А чего звонить, если всё кончено?") и избавиться от тела — в точности как в фильме "Марцефаль" — по твоему сценарию. Вынесли тебя во двор — благо ты был маленький и легкий, как ребенок. Пристроили на детской площадке, на скамейке, — как живого. Это было ночью, никто ничего не видел — или не стал вмешиваться. Говорят, ты просидел там до середины следующего дня, жаркого августовского дня. Люди вокруг не обращали на тебя внимания — наверное, в хлам пьяный или просто спит. Может быть, вокруг играли дети. Кто и в какой момент понял, что на скамейке сидит труп, — не знаю.

Во всех некрологах официальной причиной смерти был назван сердечный приступ. Конечно, вспоминали твоих любимых черных романтиков, живущих на последнем дыхании. Кто-то написал, что ты умер от любви. А я, не приехавшая на похороны из благополучной Москвы, превратилась в символ того, что тебя погубило. Подлости, измены, предательства, расчета, бездушия. Впрочем, это не имело никакого значения — ни тогда, ни теперь. Никто не мог наказать меня сильнее, чем я сама. И наказываю до сих пор — каждый день.

Меня всё еще спрашивают, ушла бы я от тебя, если б знала развязку. На этот вопрос я отказываюсь отвечать даже самой себе. Потому что это — нечестный вопрос, неправильный. У меня двое детей. Их не было бы, если б я не ушла.

Твои родители были единственными людьми, со стороны которых я не чувствовала осуждения. И к моим детям они до сих пор относятся так, как будто это их внуки. И ни разу не забыли про их дни рождения.

Никто не любил тебя так сильно, как твои родители.

95

9 декабря 2013

Не могу, не хочу, не буду вспоминать ту ночь, когда
я узнала о твоей смерти. Я не могла ни остановить
слезы, ни заснуть, ни оглушить себя таблетками —
я ведь всё еще кормила грудью. Меня удивило, что
Леша крепко заснул рядом со мной — как можно
теперь спать? И как можно теперь жить?

Наутро пришли Плаховы. Необходимость сидеть
с ними за столом оказалась спасительной. Слезы
у меня по-прежнему текли, но я уже могла говорить.
Лена, дымя сигаретой, рассказывала про твоих питерских подруг, проклявших меня, про Любу, превратив-
шуюся чуть ли не в твою душеприказчицу, про Инну,
которая осталась теперь официальной вдовой. Хотя на
роль твоей вдовы претендовала, конечно, Люба.

Боль проходила медленно. Самыми ужасными
были ночи. Сколько я видела снов, в которых ты оказывался жив и возвращался ко мне. В них появлялись
врачи, которые с научной обстоятельностью рассказывали мне, что твое воскрешение — не чудо, а лишь
сумма медицинских фактов. Были и другие сны, от
которых я просыпалась в ужасе. Вот когда пришел бы
на помощь твой любимый некрореализм с его
залихватски-циничным гимном: "Наши трупы

пожирают разжиревшие жуки, после смерти наступает жизнь что надо, мужики!" Только ничего смешного в этих снах не было. Когда я наконец даже во сне научилась понимать, что ты мертв, что ты не вернешься, — мне стало легче.

Моим наркотиком стала работа. Работала я много и честно, на одном и том же месте, которое научилась уважать и которому была верна. Вокруг все проклинали офисный ад, а я не представляю себе, как выжила б, если бы жизнь не была втиснута в это жесткое расписание — с 9:30 до сколько не жалко. А мне было ничего не жалко. Изо дня в день надо было рано вставать, идти в офис, засиживаться там до позднего вечера, что-то писать, что-то редактировать, с кем-то говорить. Я сделала блестящую карьеру — просто потому, что, спасаясь от боли, оглушила себя работой, отдала ей себя с потрохами. Работа принесла мне уверенность, деньги, порядок и в конце концов привела в Париж, город, в который я каждый день заново влюбляюсь. Я научилась не отдавать работе чувств, не дружить с коллегами, брать на себя ответственность и быстро принимать решения, хотя мне, рожденной под колеблющимся знаком Весов, это всегда давалось трудно. Научилась увольнять людей и оставаться при этом сухо-профессиональной, то есть быть жестокой. И даже Сережу почти не замечала — настолько четкой была граница между личной жизнью и работой.

Плакала я только во сне, когда видела тебя или отца. Мучила себя то булимией, то анорексией, пытаясь отвлечься от ноющей пустоты. Написала книгу про свои отношения с ленинградской блокадой, надеясь освободиться от некоторых своих демонов. Помогло — но только отчасти. И даже дети — оправдание

и содержание моей жизни — не получили той любви
и теплоты, на какую имели право.

Я поехала в Питер через день после того, как
Леша сказал мне о твоей смерти, стоя ко мне спиной
со сковородкой в руках. На твою могилу на Смолен-
ском кладбище я приехала одна. Долго искала — это
был новый участок, вход с Малого проспекта. Деревянный крест еще не заменили серым могильным камнем.
Могила была вся засыпана цветами. Окурки — стопоч-
ки — записочки. Шел мелкий питерский дождь.
Я оставалась там недолго. Для того чтобы чувствовать
тебя, мне не нужно быть на твоей могиле.

Родители приезжают к тебе на кладбище почти
каждую неделю. Даже сейчас, когда им трудно ходить
и трудно спускаться с четвертого этажа. Они там
с тобой разговаривают, им, наверное, кажется, что там
ты их лучше слышишь. Что ж, им так легче. Мне — нет,
прости. Я бываю у тебя каждый раз, когда приезжаю
в Питер. Но делаю это больше для твоих родителей,
чем для себя.

Они тяжело переживают, что всё меньше людей
звонят им в день твоего рождения и в день твоей смерти. И уже совсем мало кто в эти дни добирается до
кладбища. Я понимаю, почему им так больно: мертвые
ведь живут в памяти людей. Но и это мне не важно.

Для меня — ты живой.

96.

10 декабря 2013

Иван, сегодня я видела тебя во сне. Это был сон, который впервые приснился мне еще в школе, а потом часто возвращался в разные моменты моей жизни. Страшный сон — про розовую звезду, я тебе его рассказывала — и несколько раз в ужасе просыпалась рядом с тобой, а ты меня обнимал: "Опять розовая звезда? Успокойся, Иванчик. Нервы — не канаты".

В детстве мне снилось, что я приезжаю на лемболовскую дачу теплым летним вечером, схожу с платформы прямо в сосновый лес. "И всё бы хорошо, да что-то нехорошо" — как у любимого тобой Гайдара в "Военной тайне". Почему-то нет вокруг людей, сошедших со мной с поезда, а в воздухе разлито тревожное молчание. Я иду дорогой, знакомой мне до каждого куста, каждого забора, каждой колдобины. Наконец вижу пожилого седого мужчину в сером пиджаке. Спрашиваю у него: "Что случилось? Куда все подевались?" Он смотрит удивленно: "Как, ты не знаешь, девочка? Все попрятались по домам. Сегодня ночью в небе должна появиться розовая звезда — и у человека, который на нее взглянет, расплавится мозг, он умрет страшной смертью. Беги домой,

спрячься, занавешивай окна, не смотри на небо".
И я бегу домой, стараясь не поднимать глаз, — это
оказывается так трудно. Дома нахожу всю свою
семью — маму, папу, сестру, племянника, бабушку.
Никто из них слыхом не слыхивал про розовую звезду, все посмеиваются над моим ужасом. Но в ответ на
мои мольбы и слезы соглашаются плотно задернуть
занавески. Мы садимся играть в привычную дачную
"тысячу", в какой-то момент гаснет свет — отключилось 337
электричество. Находим свечи, зажигаем их. Начина-
ется гроза, хлопает окно, бьется стекло, порывом
ветра занавеска загорается от свечи. Огонь выгрызает
в занавеске аккуратную полоску — и я зачарованно
смотрю, как в этой полоске какими-то толчками дви-
гается розовая звезда. Я кричу — и просыпаюсь...
Я видела этот сон столько раз, что научилась просыпаться до того, как появится звезда. Иногда — даже
до встречи с седым мужчиной в лесу.

Сегодня мне снова приснился этот сон. Снова
дачная платформа, снова пустой сосновый лес. Удивительно, что вся эта с детства знакомая атмосфера ужаса
напоминала триеровскую "Меланхолию". Та же апока-
липтическая тоска, то же томление, та же сновидческая
обреченность, то же безнадежное женское одиночество,
та же волшебная летняя красота. На сей раз вместо
седого мужчины ко мне вышел ты. В своем сером тви-
довом пиджаке, с красной розой в руках. Я вдруг
вспомнила, что ты часто дарил мне цветы — но только
розы, только красного цвета и только по одной. Ты
приблизился ко мне, посмотрел сверху вниз — во сне
ты часто оказываешься выше меня. Сказал: "Можешь
спокойно смотреть на небо. Звезда тебе вреда не при-
несет. Ничего не бойся".

И страх перед розовой звездой прошел. Остался только страх, что ты сейчас уйдешь — прежде, чем я успею тебя обнять.

И я проснулась раньше, чем ты исчез. Даже розу взять не успела.

97

Мой Сережа повторяет:

— Я чувствую тебя настоящую, только когда ты говоришь о нем.

Он рассматривает мои старые фотографии, копается в сети, вытаскивая любую информацию о тебе и о Питере начала девяностых. Он как-то возвращает меня назад, в те годы, которые сам не застал. В город, который почти не знает. Может быть, таким образом он пытается сократить разрыв во времени между нами.

— Не закрывай глаза, — просит Сережа в постели. — Смотри на меня, оставайся со мной.

Но мне всё равно нужно закрыть глаза. Остаться с тобой — или с собой?

Ты бы сейчас сказал:

— Иванчик, отпусти уже парня. Хватит пить его кровь.

Иванчик, я сделала так, как ты просил. Отпустила моего Сережу. Это случилось быстро, в одночасье. Он должен был поехать из Парижа в Москву, а потом вернуться ко мне. За полчаса до его отъезда я сказала, что возвращаться не нужно. При его полной материальной зависимости от меня у него не было даже права возразить или что-то обсудить. Мы с ним толком не успели опомниться. Объяснять я ничего не стала, я ведь однажды его уже оплакала — в ресторане *Il Vino* на бульваре Тур Мобур. С тех пор расставание было только вопросом времени.

Мы обнялись в прихожей, минуту постояли, как будто я провожала его на войну. Он растерянно спросил:

— Что же, мы так и расстанемся?

— Угу. Все твои билеты я отменю сама, — сказала я и захлопнула за ним дверь. А потом легла на кухонный пол, как раненое животное — как тогда, в день твоей смерти. И долго рыдала.

Я его отпустила. Ты меня не отпустил. Так и не позволил мне быть счастливой.

Ты часто вспоминал, что я родилась в год Огненной Лошади, который бывает раз в шестьдесят лет. Повторял китайские суеверия, что мужчине, живущему с огненной лошадью, суждено погибнуть под ее копытами, умереть не своей смертью (кто знает, что такое своя смерть?). Но ты этого не боялся — напротив, тебя эта мысль забавляла, ты любил играть в пятнашки со смертью. Смеясь, рассказывал, что в Японии девушкам, родившимся в 1966-м, подделывали документы, чтобы не распугать будущих женихов.

И Сережа повторил несколько раз:

— Не надо меня топтать.

Конечно, сколько можно быть донором и вытаскивать меня за уши из прошлого. Нужно бежать от огненных копыт.

Ты губил себя. Он себя спасает.

98.

Сегодня после стольких лет впервые говорила по телефону с Брашинским. Набрала его номер и услышала: "Он был самым одаренным человеком из всех, кого я знал. И самым невоплощенным".

Что же все-таки от тебя осталось? Что от тебя осталось? Иногда кажется, что почти ничего. Ну да, десятки, а может, сотни критических и киноведческих статей; самые важные из них собраны в книгу "Кино на ощупь". Своеобразный учебник истории кино, культовый сборник. Но в них, в этих статьях, — только кусок твоего таланта. Твои сценарии? "Марцефаль", "Дух", "Упырь", "Никотин" — кто сейчас помнит эти фильмы, кто их видел? Они завязли глубоко в девяностых и ушли вместе со своим временем.

Я всё пытаюсь наскрести итоги. Твои феерические монологи, щедро разбрасываемые афоризмы, острые суждения, твой ртутный юмор, твой актерский и режиссерский дар? Всё это осталось в памяти тех, кто был включен в твою орбиту. Но человека нельзя выучить наизусть и передать следующему поколению, как это делают с классическими книгами в "451 градус по Фаренгейту". Ты спрашивал про Оскара Вернера — миниатюрного актера с птичьей головой, который играл пожарника в этом фильме Трюффо и лилипута в "Жестяном барабане": "Я на него похож? Но я ведь красивей его, да?" Да, да, да...

Ты любил далеко не лучший фильм Ильи Авербаха "Голос", в котором смертельно больная актриса непременно хочет сама озвучить свою роль и тратит на это последние силы. Тебя особенно трогало, что фильм, который она хочет закончить, — плохой, бездарный. Потому что дело не в этом, а в отчаянном желании остаться на пленке во всей своей целостности. И тело, и душа, и голос — всё должно быть подлинным.

Ты обожал шестидесятые, называл их запоздалым детством столетия. Многие твои любимые "черные романтики" родом оттуда. В статье "Цвет воздуха" ты сказал, что после шестидесятых началось "пространство без воздуха, а значит, без любви".

Ты, родившийся в начале 1959 года, часто рассуждал о времени, которое совпало с первым десятилетием твоей жизни, о его пластической талантливости и его естественной киногении. Уверял, что многие режиссеры, перейдя рубеж шестидесятых, потеряли связь со временем, не смогли приспособиться к некиногеничным семидесятым и восьмидесятым. Твои любимцы Хичкок и Гайдай утратили свой безупречный стиль. Ты сетовал на "пластический дефицит" современного кино, на "кризис внешности" — когда некого и нечего снимать.

Ты посмеивался над бесконечным потоком дебютных ленфильмовских картин, над вычурными жанровыми и стилистическими экспериментами, сделанными "на горловом нерве" (одно из твоих словечек). "Самая пошлая акция на свете — это стрелять из пушки по воробьям. Пошлость есть не что иное, как несоразмерность целей и средств". Но ты многое прощал этим молодым режиссерам — за то, что они рискнули. И жалел их за то, что киногению времени им приходилось домысливать, высасывать из пальца. Мне нравится, как ты написал про одну из таких канувших в Лету картин: "«Австрийское поле» снято оператором Дмитрием Массом красиво, очень красиво, слишком красиво, чрезмерно красиво (это не проба стиля, а попытка адекватного описания)". Кто знает, что эти бесстрашные люди, тоскующие по красоте, сняли бы в шестидесятые? Может быть, они стали бы большими режиссерами?

Альпинистов шестидесятых ты называл "сектой игроков со смертью" и цитировал Высоцкого: "Так лучше, чем от водки и от простуд". Уверял, что многих шестидесятников "веселая эпоха просто не пустила дальше" и что в мифологии шестидесятых Цибульский погиб от пули, а не от водки.

"И подарил спивавшимся в годы застоя шестидесятникам иллюзию того, что и они гибнут от пули, выпущенной временем им в спину".

99.

22 января 2014

Привет, Сережа! Как мне все-таки странно тебя так называть. Но моего второго Сережи со мной больше нет, остался только ты. Сегодня 22 января, твой очередной день рождения. В календаре увидела, что помимо твоих кумиров — Гриффита, Эйзенштейна и Джармуша — сегодня родились Байрон, Ландау, Аркадий Гайдар и Фрэнсис Бэкон. И что именно сегодня случилось кровавое воскресенье. Тебе пятьдесят пять, вот это да! Я всё пытаюсь представить, каким бы ты был, если б остался в живых. Наверное, всё таким же худым, сухим. Таким же быстрым и подвижным. Издалека казалось бы, что ты совсем не изменился. А вдруг отрастил бы живот? Или отпустил бы бороду?

Вел бы ты какой-нибудь киношный блог? Постил бы на "Фейсбуке", писал бы афоризмы в "Твиттере", имел бы аккаунт в "Инстаграме"? Или люто высмеивал бы все социальные сети и мою от них зависимость? Считал бы их иллюзией общения, фейкбуком, тотальной редактурой жизни, признаком глубокого внутреннего одиночества? Или, наоборот, азартно пользовался бы соцсетями как новым аналитическим инструментом? Презирал бы смайлики, как презираю их я, считая знаком интонационной беспомощности? Читал бы лекции? Где? Как бы ты зарабатывал на жизнь? Как сохранял бы свою гордость при неизбежной для твоей профессии полунищете? Отказался бы ты от идеи снять кино? Что сказал бы про кинодебюты Мурзенко и Брашинского? Про московские выставки Тимура Новикова? Про Любин фильм о мальчике-аутисте? Как бы ты воспринимал новую хамоватую манеру современных критиков? Ты никогда не позволял себе обижать людей, ты ненавидел хамство во всех видах, хоть часто цитировал Трюффо, который говорил, что критик должен выбирать между хамством и подлостью. Но перед тобой такой выбор не стоял — в тебе были врожденное благородство, моральная чистоплотность, простая жалость к людям. "По-настоящему объективная критическая интонация может опереться только на доброжелательность. И наоборот — равнодушие с одинаковой легкостью порождает и экзальтированный восторг, и пустую брань". Однажды ты, так часто злоупотреблявший словом "миф", написал, что там, где пролита настоящая кровь, миф особенно неуместен.

Когда я спрашивала, положительную или отрицательную рецензию ты собираешься писать, ты отвечал:

— Аналитическую.

Ты верил в то, что правильная мысль в конце концов окажется глубоко нравственной и никого не ранит. Может быть, это лишало твои статьи какой-то страстной лихости, но это была сознательная жертва. Каждый раз, когда ты писал отрицательную рецензию (а такое случалось, ведь ты обозревал кинопроцесс, а вокруг снимали много чепухи), ты переживал. Однажды ты написал суровый текст о картине Олега Ковалова "Сады скорпиона". Истово преданная мужу Люба Аркус обиделась: "Ты написал в жанре «серпом по яйцам»". Это было неправдой. Но в своих оценках ты мог быть убийственно точен, а это ранило больнее серпа.

Некролог на смерть Анри Ланглуа, директора французской синематеки, ты закончил так: "Если стоять лицом к башне, вход в Музей кино окажется слева, а справа — вход в Музей человека. Это вполне подходит в качестве эпитафии Анри Ланглуа".

Эти слова можно сказать и о тебе.

Тем более что ты упомянул мою Эйфелеву башню ("эльфову башню", как говорил маленький Иван). Мы тогда не знали, что я буду жить от нее в ста метрах и каждый день видеть ее из окна. Мой Сережа любил лежать на диване так, чтобы смотреть на ее шпиль. Наверное, чувствовал, что больше никогда ее не увидит с этой точки. Ну да ладно, увидит с другой.

Ты любил цитировать Довлатова: "Проиграть в наших условиях, может быть, достойнее, чем выиграть".

100

Ночь с 22 на 23 января 2014

Наверное, ты проиграл? "Я люблю рассказывать истории поражений, — говорил Висконти. — Я люблю описывать одинокие души, судьбы, разрушенные действительностью". Но ведь самые великие фильмы — это истории поражений, разве нет? Много ли снято шедевров про победы?

Ты не стал жить в нашем мире и в нашем времени. Этот мир и это время — и хамские, и подлые одновременно. Ничуть не аналитические, поверь мне. Ты сейчас сказал бы, что только примитивные люди ругают свое время и что ворчание на неправильные времена — верный признак надвигающейся старости. Ты прав, конечно. Просто киногения нашего времени — другая, не твоя. Зато твой мир можно прокрутить назад. И там все молодые и красивые. Ты никогда не мог представить себе старого Че Гевару, дряхлого Леннона, спившегося Цибульского, лысого Джеймса Дина, раздобревшего Цоя. Тебе не нужен был мир, в котором Мишель Пуаккар не умирает, а женится на героине Джин Сиберг и доживает до пенсии. Ты остался со своими героями. "В той сакральной области, где все встречаются со всеми и где малость результата искупается блеском намерения, они смотрят на закат, курят черные кубинские «сигариллос» и вполголоса напевают «Дайте миру шанс»".

В этом мире ты снова и снова оборачиваешься на меня на Фонтанке — юный, стремительный, голубоглазый. А я приподнимаю длинные волосы над тарелкой с супом и хихикаю в любительскую камеру, как настоящая девчонка с причала. И мы с тобой болтаем до четырех утра на улице нашей правды, потому что нам жалко идти спать.

В этом мире я смотрю в прозрачные глаза моего Сережи и притягиваю к себе его красивую голову. И знаю, что он навсегда останется таким же молодым, таким же влюбленным. И будет снова и снова спрашивать:

— Ты ведь всё еще любишь меня? Не разлюбила?

Конечно, люблю. И его, и тебя. В этом мире любовь не исчезает. Даже если ее главная задача — исчезнуть.

— Моя девчонка ко мне уже не вернется, — сказал ты.

Ты оказался не прав. Я к тебе вернулась. Ты умер, но я прожила с тобой еще целых семнадцать лет. А теперь дай мне, пожалуйста, уйти.

Прости.

Отпусти меня.

Благодарности

Когда я начала писать письма Сергею Добротворскому, то не думала о том, что буду их публиковать. Писала в никуда, в пустоту, для себя. Но, написав половину этих писем, я поняла, что получается история — книга. Писать эту книгу было больно. Многим ее было (будет) больно читать. Моя благодарность этим людям — это одновременно моя просьба о прощении.

Я благодарю:

Алексея Тарханова, отца моих детей, главного редактора многих моих текстов и первого читателя этих писем.

Павла Гершензона, моего главного собеседника, человека безупречного вкуса и безжалостного ума.

Сергея Николаевича, оказавшего большую человеческую и редакторскую помощь. И давшего важный совет — ничего не бояться.

Эллу Липпу, которая вначале стала самым строгим критиком, а потом помогла мне редактировать книгу.

Любовь Аркус, которая собрала архив Сергея Добротворского, издала сборник его статей "Кино на ощупь" и много лет поддерживает память о нем.

Леонида Десятникова, благодаря безупречному слуху которого из книги исчезло немало фальшивых нот.

Андрея Курилкина, издавшего "Блокадных девочек" — мою первую книгу.

Алису Вольскую, самого преданного ассистента на свете, благодаря которой я могу выкраивать время на то, чтобы писать.

Михаила Брашинского, ближайшего друга Сергея Добротворского.

Нину Агишеву, Андрея и Лену Плаховых, Юлию Яковлеву, Марию Голованивскую, Елизавету Школьникову — за поддержку и советы, которые они мне дали после того, как прочли первый вариант книги.

Моя с Добротворским жизнь была довольно герметичной системой — такой она и предстает в моих письмах к нему. Вне этой системы остались те, кто много значил для Сережи, но лишь мимолетно упомянут в книге: Инна Васильева, Костя Мурзенко, Миша Трофименков, Ира Кузьмина, Света Мишеева, Люда Вавилова, Андрей Пильдиш, Дмитрий Савельев, Олег Ковалов, Дмитрий Светозаров, Максим Пежемский, Виктор Володькин, Ольга Абрамович, Зара Абдуллаева и многие другие.

Елену Яковлевну и Николая Петровича Добротворских, дающих мне уроки прощения и мудрости. Я знаю, что эта книга — совсем не та, какую они хотели бы прочесть о своем сыне. Но я надеюсь, они почувствуют, что мной двигала любовь.

Александра Вознесенского, который нажал спусковой крючок этой истории. Второго героя книги тоже зовут Сережа, в то время как в реальности он — Саша. Но дело не в именах и даже не в характерах, а в силе моих чувств.

Я благодарю Сергея Добротворского, который научил меня тому, что любовь не исчезает. И который сейчас наверняка сказал бы: "Спасибо. Извините, если что не так".

Литературно-художественное издание

КАРИНА ДОБРОТВОРСКАЯ

100 ПИСЕМ К СЕРЕЖЕ

Главный редактор Елена Шубина

Редактор Полина Потехина

Выпускающий редактор Вероника Дмитриева

Корректоры Надежда Власенко, Ольга Грецова

Компьютерная верстка Елены Илюшиной

 http://facebook.com/shubinabooks

 http://vk.com/shubinabooks

Подписано в печать 30.03.2021. Формат 84×108/32.
Усл. печ. л. 18,48. Доп. тираж I 4000 экз. Заказ № 6606.

Общероссийский классификатор продукции
ОК-034-2014 (КПЕС 2008); 58.11.1 — книги, брошюры печатные

Произведено в Российской Федерации
Изготовлено в 2021 г.

ООО "Издательство АСТ"
129085, г. Москва, Звёздный бульвар, дом 21, строение 1, комната 705,
пом. I, 7 этаж
Наш электронный адрес: **www.ast.ru**

"Баспа Аста" деген ООО
129085, Мәскеу қ., Звёздный бульвары, 21-үй, 1-құрылыс, 705-бөлме, I жай, 7-қабат
Біздің электрондық мекенжайымыз: www.ast.ru

Интернет-магазин: www.book24.kz
Интернет-дүкен: www.book24.kz
Импортер в Республику Казахстан ТОО "РДЦ-Алматы".
Қазақстан Республикасындағы импорттаушы "РДЦ-Алматы" ЖШС.
Дистрибьютор и представитель по приёму претензий на продукцию в республике
Казахстан: ТОО "РДЦ-Алматы"

Қазақстан Республикасында дистрибьютор
және өнім бойынша арыз-талаптарды қабылдаушының
өкілі "РДЦ-Алматы" ЖШС, Алматы қ., Домбровский көш., 3"а", литер Б, офис 1.
Тел.: 8 (727) 2 51 59 89,90,91,92
Факс: 8 (727) 251 58 12, вн. 107; E-mail: RDC-Almaty@eksmo.kz
Өнімнің жарамдылық мерзімі шектелмеген.
Өндірген мемлекет: Ресей

Сертификация қарастырылмаған

Отпечатано в ПАО «Можайский полиграфический комбинат»
143200, Россия, г. Можайск, ул. Мира, 93.
www.oaompk.ru, тел.: (495) 745-84-28, (49638) 20-685